[英国] 柯南·道尔 著
喵博士 改编

大侦探福尔摩斯

SHERLOCK HOLMES

最后的致意 新探案

译林出版社

人物档案

华生

华生——医生，伦敦大学医学博士，福尔摩斯的最佳拍档。他用心记录下福尔摩斯精彩的破案过程，并公之于世。

福尔摩斯

福尔摩斯——闻名世界的大侦探，居住在英国伦敦的贝克街221B。他善于通过观察和推理来寻找事件的真相，破案时有如神助，总是能洞察一切。

斯科特

斯科特——喜欢结交朋友的单身汉，受邀去朋友家里过夜。第二天，朋友一家离奇失踪，他自己也成了谋害朋友的嫌疑犯。

迈克罗夫特

迈克罗夫特——福尔摩斯的哥哥，有着不亚于福尔摩斯的聪明头脑，为英国政府工作。

波克

波克——潜伏在英国的德国间谍，用假身份在英国骗取了许多机密情报，如今任务圆满完成，正要带着这些情报返回德国。

普雷斯教授

普雷斯教授——一位德高望重的学者，爱上了一个年轻姑娘，自从一趟旅行回来后就变得非常奇怪，夜里竟然手脚着地，像野兽一样爬行。

目 录

SHERLOCK HOLMES

Sherlock Holmes

威斯特公寓奇案

斯科特受邀到新朋友加西亚家中拜访，可不知为何，加西亚家里的人看上去都非常阴沉恐怖。更可怕的是，第二天早晨，斯科特发现加西亚一家全都凭空消失了！他惊慌失措地找到福尔摩斯求助，却不知自己已经被牵扯进了一桩谋杀案中……

“福尔摩斯先生，我敢说，这是我这辈子遇到的最古怪的事情！你一定要帮帮我呀！”一位高大结实的男士刚走进房间，就迫不及待地大声抱怨。他满脸惊慌，下意识地用手抓了抓自己乱蓬蓬的头发。

福尔摩斯瞥了一眼他那没扣好扣子的衣服和花白凌乱的胡子，为他递上了一杯热气腾腾的红茶，说：“请坐下，斯科特先生。什么事情让你这么惊慌失措？”

“是这样的……”斯科特清了清嗓子，正准备说下去，但他刚开口就被打断了。

外面传来一阵喧闹声，接着走进来两个体格健壮的人。福尔摩斯看了一眼，说：“嘿，葛莱森警探，什么风把你吹来了？”这位来自伦敦警察局，也就是苏格兰场的警探，是他的老朋友了。

葛莱森上前跟他握了握手，介绍道：“旁边这位是我的同事贝恩斯警探。我们俩跟踪线索，结果跟到你这里来了。”他转向来访者，说道：“你就是斯科特先生吧？我们**跟踪**你一上午了。”

“我是……斯科特。你们……为什么跟踪我？你们想干什么？”斯科特惊恐地打量着眼前这两名警探。

“加西亚先生死了。我想，你应该知道些什么吧。”

斯科特立刻瞪大了双眼，脸色瞬间变得惨白，没有一丝血色。“死了？你们说他已经死了？”

“是的。”

“怎么死的？”

“应该是**谋杀**。”

“天哪！这太可怕了！”斯科特一下捂住脸，但很快又放开手，露出一双惊慌的眼睛说，“等等，你不会怀疑是我干的吧？”

“我们在死者的口袋里发现了你写给他的**信**，信里说你昨天打算在他家过夜。”葛莱森警探说着从口袋里掏出了一本笔记本，“先生，希望你能配合我们的调查，把你所知道的一切都告诉我们。”

“好……我……我会尽力配合。”斯科特哆哆嗦嗦地抿了一口茶，开始了他的讲述。

“我是一个单身汉，喜欢社交，有很多朋友。有一回，我在一个叫梅尔的朋友家里，认识了你们说的……加西亚先生。他长得很英俊，有西班牙血统，好像跟西班牙大使馆有些联系。据他说，他家里有一个忠诚的仆人和一个手艺很好的厨师。我和他相见恨晚，很快就成了好朋友。

“几天前，他热情地邀请我去他家住几天。**盛情难却**，就在昨天晚上，我开车去了他家——威斯特公寓。他家的房子很大，但是**年久失修**，看起来破破烂烂的，门外杂草丛生，我在门外犹豫了好久要不要进去。加西亚听到了动静，开门把我迎了进去。

“但是，这顿晚饭吃得并不愉快。菜做得一点儿也不好吃。他的仆人沉默寡言，脸色阴沉，看着怪吓人的。主人也很怪异，神情恍惚。他一会儿用手指咚咚咚地敲桌面，一会儿用牙齿咬指甲，整个人看起来心神不宁。唉，这一切让我不自在极了。

“哦，对了，我想起来一件事，也许跟你们调查的案子有关。快吃完饭的时候，仆人送来了一张便条。我注意到，主人在看完便条之后，更加心不在焉了。他不再装模作样地跟我聊天，而是心事重重地坐在那里不停地抽烟。我熬到十一点左右，就去睡觉了。

“睡得迷迷糊糊的时候，我听到加西亚在门口叫我。他问我是不是按过铃，我说没有，他满脸歉意地说，不该这么晚来打扰我，都快凌晨一点了。后来我睡着了，一觉睡到天亮。

“现在，我要讲故事里最令人匪夷所思的地方了！我早上醒来的时候，已经快九点了。我明明让他们八点叫醒我，他们竟

然全都忘了！我按了好几下铃，但是没人理我。我憋着一肚子气，下楼叫人，结果，楼下一个人也没有！我又在大厅叫了好几声，还一个一个房间地去敲门。你们猜怎么着？整栋房子空空如也，除了我之外，其他人都不见了！加西亚、仆人、厨师，一夜之间全都人间蒸发了！”

“哦？竟有这种怪事！”福尔摩斯一向平静的脸上露出了惊奇的表情，他转身拿出他记录奇闻逸事的本子，把这件怪事写了进去。接着，他问道：“先生，那么你之后又干了什么？”

“我气极了，以为自己被人捉弄了，”斯科特整了整自己的衣领，面色苍白地说，“我收拾好自己的东西，气冲冲地离开了他家。但我还是很不安，想弄清楚他究竟在搞什么名堂。他突然消失，会不会是为了逃避房租呢？我找到房子的管理员，他告诉我，房租已经付清了。后来我又到西班牙大使馆去打听他的消息。结果，大使馆根本不知道有这么一个人。这时我想到了梅尔，我就是在他家认识加西亚的。没想到，梅尔告诉我，他跟加西亚也并不熟悉！天哪，这到底是怎么回事？我只好抱着最后一线希望来找福尔摩斯先生了，但愿你能帮我解开这个谜团。不过……”

他突然转头，急促地说：“警探先生，我可以发誓，在你们告诉我之前，我根本不知道加西亚已经死了！”

“谢谢你的配合，”葛莱森警探安慰地拍拍斯科特的肩膀说，“你说的情况跟我们掌握的基本吻合。比如，在你们吃饭的时候有人送过来一张**便条**。这张便条后来怎么处理的，你注意到了吗？”

“是的，”斯科特点点头说，“加西亚把它揉成一团扔到炉火里去了。”

“你想说什么，贝恩斯先生？”葛莱森警探转向另一名警探，问道。

贝恩斯警探是一个壮实的红皮肤汉子，他的脸上布满了皱纹，但是双眼**炯炯有神**。他微微一笑，从口袋里掏出一张变了色的便条。

“先生们，加西亚把纸团扔过头了，它落到壁炉后面，被我找到了，”贝恩斯得意的目光扫过在场所有的人，“请允许我念一下便条上的内容：

我们自己的颜色，绿色开，白色关。主楼梯，第一过道，右边第七。祝顺利！

"字体看起来秀丽纤细，应该是女人写的。但是写在便条外面的阿加西的地址，字体却很粗大，像是男人写的。"

"我很高兴你找到这张便条，"斯科特有些不安，他插嘴道，"可是加西亚先生到底是怎么死的呀？究竟发生了什么？"

葛莱森警探抬头盯着他的眼睛看了一会儿，回答道："今天早上，他的尸体在离他家三公里远的一片空地上被人发现，那周围都没有人家。他的头被人用重物砸了，脸部也**面目全非**，根本无法辨认。我们是在他口袋里找到了你写的**信**，才知道了死者的身份。"

"是抢劫吗？"

"不是，他身上的钱财都还在。"

葛莱森说着，站了起来。"斯科特先生，现在得请你跟我们去警察局走一趟，录一下口供。"

"好……好，我这就去。"斯科特**惊恐不安**地点点头。

福尔摩斯抬眼望向两名警探，问道："先生们，你们能不能告诉我死者遇害的具体时间？"

贝恩斯警探回答道："根据法医的检查报告，加西亚先生是在凌晨一点之前遇害的。"

"这不可能！"斯科特突然尖叫起来，"我发誓，一点的时候，加西亚还在我的卧室外跟我讲话，问我有没有按铃！”

“嗯……这很奇怪，但不是没有可能，”福尔摩斯低头摸了摸下巴说，“贝恩斯先生，你在检查死者屋子的时候，有没有发现什么**奇怪的东西**？”

“有，等我到警察局录完口供，我就带你去看看。”两名警探带着斯科特一起离开了，原本拥挤喧闹的屋子里，现在只剩下福尔摩斯和华生。

福尔摩斯抽着烟，眉头紧锁。

“华生，你怎么看？”

“死者的仆人和厨师都**不见了**，会不会是他们合伙谋杀了主人，然后一起逃走了？”

“确实有可能，”福尔摩斯目光犀利，“但是在有客人的时候袭击自己的主人，这实在不是明智之举呀。他们完全可以在其他日子动手！”

“那……仆人为什么要逃走呢？”

“这样吧，华生，不如我们做一个假设，”福尔摩斯靠在椅背上，眼睛半闭半睁地说，“加西亚邀请斯科特，肯定不是**恶作剧**。你不觉得他们两人的友情发展得太快了吗？在彼此还不熟悉的情况下，加西亚就盛情邀请斯科特去他家做客。斯科特有什么特别的魅力能吸引这个外国小伙呢？他有不同寻常的地方吗？别摇头啊，华生，我觉得他还是有的。你看，斯科特是一个传统体面的英国人，换句话说，他是一个能让人产生信任的证人，刚刚这两名警探不都对他的证词**深信不疑**吗？”

“你是说……加西亚想让斯科特给他当证人？”

“为了制造不在场证明，”福尔摩斯**一针见血**地点出了答案，“加西亚可能需要有人证明他在某个事件中不在场。我们假设一下，或许他们一家人在密谋着，想在凌晨一点之前出去做一件**不可告人**的坏事。他们在时钟上做了手脚，让斯科特以为凌晨一点的时候，他们还在家里。你还记得吗？他晚上特意到斯科特的卧室叫醒了他，还提到一点这个时间。也许，那会儿的真实时间还没过十二点呢。假设凌晨一点的时候，外面发生了什么案件，而之后警方恰好怀疑到加西亚身上，那么，他就可以请斯科特出面，证明他一点以前都待在屋子里，不在案发现场。”

“哦——这个我懂了。”华生点点头，但随即又把头摇得像拨浪鼓似的，“但我还是没明白，其他人为什么要逃走？**那张纸条**又是怎么回事呢？”

“想想便条上写了什么，‘绿色开，白色关’，这句话显然是**信号**，而接下来的这句话应该讲的是**约定地点**：‘主楼梯，第一过道，右边第七’。他们要做的事情应该很危险，不然写便条的人就不会说‘祝顺利’了。”

不一会儿，福尔摩斯接到了贝恩斯警探的电报，他笑道：“呵，我们是在**贵族**圈里打转呢。看看，上面都是些贵族家的地址。”

“这又是怎么回事？”华生疑惑不解地摸着后脑勺问道。

“你看，加西亚收到的便条上说，要爬上主楼梯，还要找第七个房门，说明他要去的房子一定很大。而这房子应该离他后来不幸遇害的地点不会太远。我就让警察局把那边附近几所大房子的**地址**都列出来了。住在里面的就是这些贵族。”福尔摩斯说着，捋了捋自己的头发，“等会儿我们跟贝恩斯警探先到加西亚的家里去看看吧。”

等他们跟着贝恩斯警探一起前往死者家的时候，天已经黑了。3 月的寒风扑面而来，夹杂着丝丝细雨。他们穿过荒凉的空地，走向发生悲剧的那个地方。那里树影重重，杂草丛生，一楼的一扇窗户里透出微弱的灯光。

“我们局里有警察在值班，”贝恩斯警探说，“我去叫他。”

他走过草坪，用手指轻轻叩响窗户，只听见咚的一声响，一名脸色苍白的警察**气喘吁吁**地开了门，拿着蜡烛的手抖个不停。

“你怎么了？”贝恩斯警探大声问道。

这名警察用手帕擦了擦前额的汗，长吁了一口气，说：“先生，太好了，还好是你，我还以为是刚刚的东西又过来了。”

“什么东西？”

“是鬼！”警察睁着惶恐的双眼，**语无伦次**地说，“大……大约半小时前，我本来在看报纸……看报纸，一抬头，妈呀，窗子外有一张可怕的脸！棕褐色的，那脸盘子至少有您的两个大，上面的眼珠子像是要爆出来似的，加上一口白牙，活像一头恶狼！然后，突然间他消失了。我追了出去，但是什么也没看到。”

“我想，那不是鬼，”福尔摩斯点亮手里的小提灯，蹲下来仔细查看草

地，“你看，这是他的脚印，尺寸很大，应该是个大个子。”

“既然他已经跑了，我们先进屋看看吧。”贝恩斯警探带头走进了公寓。

“我们已经检查过客厅和房间了，都没有发现有用的线索，但是这里很特别。”贝恩斯警探拿着蜡烛走到厨房，在烛光的照射下，橱柜边一个**黑色的怪东西**赫然映入眼帘，看起来像是一只扭曲变形的古老猴子，身上还挂着两串白色的贝壳。

“还有这个。”贝恩斯警探伸手指向水池。只见水池里有个大盆子，里面装着一只被撕得七零八落的**白色大公鸡**，上面还留着凌乱的鸡毛。

接着，他像变戏法似的从水池底下拿出一只装满了血的桶，又从桌上端了一只盛满了烧焦的**碎骨头**的盘子。

“这些骨头是我们从炉火里找出来的，看来这家人杀死了一些东西，又烧了一些东西。”

“这骨头像是小羊羔的。”福尔摩斯摩挲着自己的下巴说，“他们为什么要这么做呢？难道是……”

“这家人真的很奇怪。”贝恩斯警探耸了耸肩，目光毫不躲闪地射向福尔摩斯，说道，“但是没关系，我已经有了点思路了。我希望，我能独立破案。”

“哦，没问题！祝你好运。”福尔摩斯爽朗地笑了。

接下来的几天，福尔摩斯总是在威斯特公寓附近散步，和附近的人聊天。他还去大英博物馆待了一个上午。他似乎在关心着案情，但又有些**漫不经心**。而贝恩斯警探则是忙里忙外，红光满面，看起来对案件的进展情况十分满意。

就在案件发生五天后，华生在报纸上看到了一则令人**震惊的报道**：“加西亚谋杀案告破，嫌疑犯已经被警方抓获。”华生大声地读出了大字标题。福尔摩斯猛地从椅子上弹了起来，好像被什么东西刺到了一样，他惊呼道：“什么！贝恩斯抓住凶手啦？”

“好像是的。”华生翻开报纸，一字一句地读了起来：“五天前，威斯特公寓的加西亚先生被人杀害，尸体在离家三公里远的空地上被人发现，他的仆人和厨师在同一天晚上逃走了。警方猜测凶手作案的目的是为了盗取死者存放在公寓里的贵重财物。据悉，加西亚的厨师曾贸然返回公寓，被当晚值班的警察发现了。负责此案的贝恩斯警探猜测此人还会再回来，于是在灌木丛中**设下埋伏**，当厨师再次返回时抓住了他。此次抓获的犯罪嫌疑人身材魁梧，长相可怕。”

“我们应该马上见见贝恩斯警探。”福尔摩斯戴上帽子说，“走吧，华生。”

当他们来到警察局门口的时候，刚好碰到贝恩斯警探。

“嘿，福尔摩斯，你看报纸了吧？”贝恩斯警探得意地说，“我跟你说，我们抓到的那个厨师，真是一个野人哪！他**力大无穷**，像一匹拖车的马，而且十分凶狠，差点咬掉了我同事的大拇指。对了，他一句英语都不会说，只会哼哼哈哈。我估计，从他身上挖不出更多线索了。”

“你觉得是他杀害了加西亚吗？”

“我可没这么说。”贝恩斯警探扯了扯嘴角说。

“我会继续调查这个案子的。”说完，福尔摩斯摘下帽子，朝他挥了挥手，就回家了。

“华生，这件事太不寻常了。”福尔摩斯坐在椅子上，用手指轻轻敲着扶手说，“我想梳理一下这个案子的**来龙去脉**。首先，我们可以确定的是，加西亚安排斯科特来家里做客，想让他证明自己不在某个事件的现场。这说明加西亚打算做的事情是违法的。只有这种情况才会需要制造不在场证明。那么，到底是谁谋杀了他呢？我认为，恰好就是他想杀的那个人反过来把他杀了。”

福尔摩斯接着说："这就能解释加西亚的仆人和厨师为什么会消失了。他们都是加西亚的同伴，要一起完成这个任务。如果加西亚办完事情，准时回来了，那么他们的目的就达到了，而那个英国人又可以帮他们做证，排除他们的嫌疑。如果事情办得不顺利，加西亚死了，那么他的两个同伴就会先躲起来，等风头过后，再继续完成这个任务。"

"啊，原来是这样！"华生**恍然大悟**，但是他还有想不明白的地方，于是问道，"但是，那个厨师为什么要回来呢？"

"有可能他匆忙逃走的时候，落了什么重要的东西，所以他要回公寓拿。"福尔摩斯回答道，"还有一件事情值得关注，就是加西亚收到的那张**便条**。便条肯定是他的另一个同伙送来的，但是那个同伙在哪里呢？从便条上的内容可以看出，他对那栋大房子的情况可以说是**了如指掌**，所以，他很可能就住在里面。"

"你找到那栋大房子了吗？"华生好奇地问。

福尔摩斯眼里闪过一丝亮光："前几天我在散步的时候，已经把贝恩斯警探发给我地址的那几栋大房子都暗中调查了一遍。我发现，其他房子的主人都很正常，除了一位叫亨德森的先生。他是个古怪的人，我设法拜访过他。他大约五十岁，强壮而机灵，铁灰色的头发，浓密的眉毛连成一条线。他有着干燥紧实的黄黑色皮肤，这说明他要么是个外国人，要么曾经长期在热带居住过。他秘书的皮肤是棕色的，显然是个外国人。你想，死者加西亚是外国人，而神秘大房子的主人也是外国人，这难道只是巧合吗？”

福尔摩斯喝了一口咖啡，继续往下说：“我还调查到，亨德森有两个女儿，她们有个女家庭教师，是一个英国人，大约四十岁。补充一下，亨德森是个超级有钱的大富翁。”

华生挠了挠头，问道：“你是怎么知道这么多消息的？”

福尔摩斯笑了起来：“哈哈，有的是我自己观察到的，有的是我和村里人聊天知道的，我还找到了一个被亨德森开除的园丁。他对那个专横的前主人既害怕，又憎恨。据园丁说，亨德森从不单独外出，平时跟秘书几乎形影不离。仆人们都私下议论，说他好像在躲避什么。园丁说过这么一句话：‘为了钱，他把灵魂都出卖给了魔鬼，就等着魔鬼来要他的命了。’”

华生忍不住感叹道：“看起来，这位亨德森先生是个相当不受欢迎的人！那么，那张便条会是这栋房子里的什么人写的呢？”

“华生你想想，如果给加西亚的便条是从这个古怪的家里送出去的，又是一个女人写的，那会是谁呢？只能是**女家庭教师**了。如果她是加西亚的同伴，那她在得知加西亚的死讯后，会是什么反应呢？我特意去打听了，当地人都说，自从加西亚遇害之后，就再也没有人见到过那位女家庭教师了。我无法确认她是被杀害了还是被囚禁了。目前，那位园丁正暗中帮我守着亨德森家的大门。但是离谋杀案发生已经过去**五天**了，再等下去还不知道女家庭教师会遭遇什么。我觉得，我们现在就该行动了。”

“那你打算怎么办？”

“我知道她的房间在哪里。我们可以从屋子外面一间房的屋顶进去。我们最好今天晚上就行动，弄清楚她是否还活着。”

到了傍晚，还没到他们行动的时间，一个人慌慌张张地冲了进来，扯开嗓门大喊：“福尔摩斯先生，他们坐最后一班火车跑了。那位女士挣脱了他们的控制，我把她救出来了。”

说话的人满头大汗，气喘吁吁，原来是那位**园丁**！福尔摩斯惊喜地跳了起来，说：“太好了！华生，我们快去看看。”

门口停着园丁的马车，亨德森家的女家庭教师伯内特双眼无神地瘫坐在里面。她的脸庞瘦削而憔悴，脑袋无力地垂在胸前。她看起来像是被下了**迷魂药**。

园丁**手舞足蹈**地比画着：“我按你的吩咐，悄悄在大门口守着。一看到他们的马车出来，我就赶紧跟了上去，一路跟到了火车站。可恶的家伙！他们是想挟持这位女士逃跑哩！伯内特女士一开始顺从地被他们拉着，迷迷糊糊的，像梦游似的。要上火车的时候，她好像醒过来了，奋力挣扎。他们拼命想把她推进车厢，但还是被她挣脱了。我立刻冲了出去，飞一般地把她带走，塞进一辆马车里，然后飞奔到您这里来了。不过刚一上车，她就又**神志不清**了。”

“干得漂亮。”福尔摩斯赞赏地拍了拍园丁的肩膀，小心翼翼地把女士扶上了楼，让她躺在沙发上休息。两杯浓咖啡让她渐渐清醒了过来。

福尔摩斯喃喃道：“是时候把贝恩斯请过来了。”

不一会儿，贝恩斯警探赶了过来。他一看到伯内特女士，就紧紧握住福尔摩斯的手，眼中闪着难以抑制的兴奋光芒：“天哪，福尔摩斯先生，你把我要找的线人找到啦！”

福尔摩斯**大吃一惊**，问道：“哦？你也在找伯内特女士？这么说，你也觉得亨德森有问题？”

贝恩斯警探扬了扬下巴，回答道：“那当然！你想想看，之前是谁给你发的那些住址和名单？那个亨德森比狐狸还狡猾，我觉得他早就知道自己被怀疑了，所以我才想出了一个**障眼法**，故意逮捕那个厨师，目的就是让亨德森放松警惕。我早就派人监视亨德森一家了，不过，伯内特女士竟然挣脱了他们的控制，这真是出乎我们的意料。”

福尔摩斯赞赏地点点头，说：“你们查出这个亨德森的真实身份了吗？他到底是谁？”

贝恩斯哼了一声，说：“他就是**臭名昭著**的圣佩德罗之虎！”

“什么？圣佩德罗之虎？”连华生都听说过这个可怕的称号。圣佩德罗位于美洲中部，那里曾经出过一位有名的暴君，人称“圣佩德罗之虎”。他用残忍暴力的手段欺压百姓长达十几年，在他的统治下，那里简直是一座人间地狱。“圣佩德罗之虎”这个名字在美洲中部简直就是恐怖的代名词，让人听了**不寒而栗**。后来，百姓终于忍无可忍，起义推翻了他的暴政。但是他非常狡猾，刚听到一点儿风声，就把全部财产转移到了一艘船上，随后带上他的两个孩子和秘书**逃之夭夭**了。

贝恩斯警探点点头，说："没错，他就是亨德森。不过，亨德森是他到英国之后才改的名字，他的原名叫作穆里洛。如果你去查一查，就会发现圣佩德罗的旗帜有两种颜色，绿色和白色。所以**便条**里说：'我们自己的颜色，绿色开，白色关。'我调查了亨德森的经历，他先逃到了法国，然后到了西班牙，最后逃到了英国。他的仇人们一直在寻找他。"

"我们一年前就找到他了，但是复仇计划一直没有成功。"伯内特女士坐了起来，瘦骨嶙峋的双手紧紧地握在一起。

"但是，伯内特女士，你怎么会牵扯进去呢？"福尔摩斯问道，"你是英国人，他是圣佩德罗的暴君，跟你有什么关系呢？"

伯内特的脸色因为仇恨而变得惨白："我丈夫是圣佩德罗驻伦敦的大使，我跟他是在伦敦相遇并结婚的。没想到，那个暴君觉得我丈夫太优秀，对他是个威胁，就找了个借口把他召回去，然后把他……把他枪毙了……"

伯内特女士越说越激动："后来，那个暴君虽然倒台了，却没有受到应有的惩罚。你们也知道，他逃跑了。他手上沾满了鲜血！有一群生活被他毁掉、亲友被他残害的人聚在了一起，成立了一个复仇会。我也毫不犹豫地加入了。我们发现了亨德森就是那个**改头换面**的暴君，于是，我混进他家成为家庭教师。我的任务是传递情报，跟执行刺杀行动的人**里应外合**。

“加西亚也是圣佩德罗人，他的父亲也是因为那个暴君而惨死的，所以这次他要求由自己来执行刺杀任务。白天，亨德森跟他的秘书形影不离，很难对他下手，晚上他倒是自己一个人睡觉，不过狡猾的他会经常换房间睡。所以我要及时写信通知加西亚，我们的仇人当晚睡在哪个房间。然后我在窗口照出绿光或白光作为信号，告诉他们是一切顺利，还是得提前终止行动。

“不幸的是，我们的计划被打乱了。那个狡猾的秘书对我起了疑心。我刚写完信，他就悄悄地从我背后猛扑过来，抢走了我的信。他跟亨德森逼着我说出加西亚的地址……后来……后来秘书就在我的信上写上地址，然后叫人把信送了出去。到了晚上，他们又在窗口给出**假信号**。所以……加西亚行动那天，正好中了他们的埋伏。是我害死了他……”伯内特女士抽泣了起来。

“接下来，他们把我关了整整五天，不停虐待我。你们看，我肩膀上有刀疤，手臂上也有伤。今天中午，他们大发善心，给我送来了一顿丰盛的午餐。后来我才发现，他们在饭里下了药。我像做梦一样迷迷糊糊地上了马车，到了火车站。后来的事，你们就都知道了。”

所有人都**聚精会神**地听着伯内特女士的讲述。沉默了一会儿，华生问道：“那个厨师为什么要回来呢？”

福尔摩斯用手指敲了敲桌面，说：“那只像猴子一样的怪东西，也许是厨师的神物，他不想丢下它。至于我们在厨房里看到的白色大公鸡、烧焦的碎骨头，还有那一桶血，我猜是他们祭祀用的祭品。我在大英博物馆里查到，有个种族就是举行这样的**祭祀仪式**。他们在做某件大事之前，就用那些东西来做祭品，求神保佑他们行动顺利。这下，就都能对得上了吧？”

半年后，报纸上传来消息，亨德森和他的秘书在欧洲被人暗杀了。这个臭名昭著的暴君，终于为自己的暴行付出了代价。

神秘的房客

焦躁不安的沃伦太太找到福尔摩斯，说自己最近接待了一个古怪的房客。这个房客付双倍房租，却整天整夜躲在屋里不肯露面，就连饭菜也是放在房门口。这个神秘房客身上到底隐藏着什么样的阴谋，福尔摩斯能解开谜团吗？

“沃伦太太，您没必要这么担心吧？”福尔摩斯安抚着面前这位焦躁不安的女士说，“不就是您的**新房客**不喜欢出来见人吗？如果我是您的房客，您可能几个星期都见不到我。”

沃伦太太神色慌张，用力地摇了摇头，说：“不，这不一样。福尔摩斯先生，他太反常了！”

福尔摩斯耐着性子说：“好吧，那您说说看。”

这位女士深吸了一口气，说：“十天前，一个年轻男人住进了我家公寓。他出手阔绰，用双倍的价格付了两个星期的房租，还说以后都按这个价。他只有两个条件，一是要把房间的**钥匙**给他，让他能自由出入；二是不许任何人进屋打扰他。这本来还算正常，但是他在这里住了十天，几乎从没踏出过房门半步，好像**很怕见人**。只听见他每天从早到晚在屋里走来走去，哎哟，那脚步声听着真叫人心慌！你说，他是不是做了什么坏事才躲到我这里来的？”

福尔摩斯来了兴致，问道：“他一次也没出去过吗？”

“出去过一次，就在刚住进来的第一天晚上。他回来得很晚，回来时，我们都已经睡觉了，只听到他上楼的脚步声。”

福尔摩斯挑了挑眉又问：“他平时不出门，怎么吃饭呢？”

“他每天**按铃**，我们就把饭菜放在房门口的椅子上。他吃完了再按铃，我们再从椅子上把餐具收走。如果他还需要别的什么，会写纸条告诉我们，我们在送饭的时候一起给他。”沃伦太太从口袋里掏出几张纸条说，“这些都是他写的。”

福尔摩斯凑过去一看，只见纸条上写着：《每日公报》、**肥皂**、**火柴**……奇怪的是，上面的字故意写成了印刷体，显然是想隐藏自己的笔迹。

福尔摩斯若有所思地问道："您的新房客还有什么不同寻常的地方吗？"

"对了，他英语说得很好，但是从口音能听出来他是个外国人。长相嘛，倒是没什么特别的，中等身材，皮肤黑黑的，留着胡子，看起来三十岁左右。他穿得很讲究，像个绅士。"

房东太太说着，拿出两根火柴和一个烟头，说："这是他今天早晨扔在盘子里的东西，您能看出点儿什么吗？"

"火柴是用来点香烟的，这没什么奇怪的。"福尔摩斯仔细观察着烟头说，"但是这个烟头不太对劲。您刚才说他留着胡子，对吧？下巴和上嘴唇上都有胡子吗？"

沃伦太太点点头，说："是的。"

福尔摩斯努了努嘴，说："您看这烟头这么短，有胡子的人如果这么抽烟，会烧到胡子的。"他直起身子，转向沃伦太太说："沃伦太太，那房间里不会有两个人吧？"

沃伦太太立刻摇着头说："不会的，先生。他每天的饭量很小。要是两个人才吃这么一点儿，非饿死不可。"

福尔摩斯点点头，说："有点意思。沃伦太太，我们还需要更多的线索。您先回家去吧，有新情况，请马上告诉我。"

送走沃伦太太后，福尔摩斯对华生说："我有一个大胆的推测：现在住在那间房里的，根本就不是当初租房的那个男人。”

华生大吃一惊，问道：“你怎么会这么想？”

“首先，这个烟头显然不是一开始租房的男人抽的，他留着胡子，不会这么抽烟。其次，那个男人租房当天就出去过一次，而回来的时候没有人看见他。谁也不能保证，回来的人就是出去的人。”福尔摩斯看着华生说，“还有最后一条线索：一开始租房的男人英语说得很好，但你看看从屋里传出的纸条，连‘火柴’的英文都写错了，可见英语不怎么样。所以，我有充分的理由怀疑，有人**顶替**了原来的房客。”

“可这是为什么呢？”华生疑惑不解地问道。

“我会找出答案的！你想想，现在的房客一个人孤零零地住在里面，要怎么跟外界联系呢？他至少要联系为他租房的那个男人吧？最方便又最隐蔽的办法是什么？通过报纸的《**寻人启事**》栏目来发暗号。你还记得吗？他写纸条要求沃伦太太给他送《每日公报》，这里面一定有秘密。”

福尔摩斯猛地站起身走到书架前，取出一本又大又厚的书，重重地放在桌上，说：“这是我收集的伦敦各大报纸的《寻人启事》。看，《每日公报》的在这里！医生，我们来找找这两个星期的吧。”

福尔摩斯哗啦哗啦地翻着书页。突然，他像发现新大陆一样，兴奋地说："华生，我看到了有意思的消息！你看这条，落款是 G，他说：'耐心点儿，将寻找一种可靠的通信办法，目前，仍用此栏目。'发布信息的日期恰好是新房客住进来的两天后！"

福尔摩斯继续翻书，嘴里**念念有词**："看，这里也是 G 登的消息：'正在做有效的安排，耐心谨慎。乌云就快散去。'再看看还有没有别的……哈哈，这条是昨天发布的：'道路已经清除，如有机会，就发暗号。'"福尔摩斯激动地用手指着那一页说："华生！他说到**暗号**了——'记住说定的暗号，一是 A，二是 B，以此类推。'"

福尔摩斯满意地合上书，抬起头笑眯眯地说："华生，我相信，事情很快就会**水落石出**。"

第二天早晨，华生看到福尔摩斯轻松地坐在炉火旁，脸上带着惬意的笑容。

"华生，你看这个，"他从桌上拿起报纸说，"今天的《每日公报》。G 又登消息了：'红色高房子，白色石头门。三楼。左边第二个窗口。天黑之后。'你看出什么了吗？他说的这个窗口，应该就是他要**发暗号**的位置！时间是天黑之后。看来，我们今天一定得去探访一下沃伦太太的神秘房客了。”

就在这时，沃伦太太噔噔噔地跑上楼来，**怒气冲冲**地大声嚷嚷：“这事得找警察了，福尔摩斯先生。我实在受不了了！我要让那个新房客今天就卷铺盖走人！哦，天哪！今天我丈夫莫名其妙挨了一顿打。”

“哦？沃伦先生被打了？”福尔摩斯惊讶地站了起来。

沃伦太太喘了口气，用袖子擦了擦头上的汗，深吸一口气说道：“就在今天早上，我丈夫去上班，出门没走几步，就被人蒙住头捆起来，塞进了一辆马车。马车跑了足足有一个小时，他们突然把他扔在路边就跑了。我可怜的丈夫吓得**魂飞魄散**，好半天才发现自己躺在郊外的荒地上。”

“竟有这种事？”福尔摩斯问，“沃伦先生安全回来了吧？他看到那几个人的脸没有？听见他们说什么了吗？”

“他现在躺在家里的沙发上，还没缓过神来呢！我问过他了，他什么也没看见，什么也没听见，早给吓糊涂了，只知道有两个人把他抬起来，又把他扔下去，像**变戏法**一样。”

“您觉得，这事跟您的新房客有关？”

“哎，先生，我在这里住了十五年，从来没发生过这样的事情！这个新房客一住进来，什么怪事、可怕的事都发生了！”沃伦太太生气地攥紧了拳头说。

“沃伦太太，您先坐下，”福尔摩斯温柔地拍着她的肩膀说，“事情确实比我想象的更严重。他们应该是抓错人了，把您丈夫当成了那个房客，后来发现弄错了，所以又把他放了。这么说……您的新房客应该是在躲避什么危险，而他的敌人已经找到了他的**藏身之处**。”

“那……那我该怎么办，福尔摩斯先生？”

“让我见见您的房客吧。”

“可是……”沃伦太太面露难色地说，“我也不知道怎么让你见到他呀，他都是在我留下盘子下楼后，才打开门。”

“那我们就躲在一个地方看他开门拿盘子。”

沃伦太太低头陷入了沉思。

“哦，我知道了，先生，”沃伦太太想到了什么，惊喜地抬起头说，“新房客住的房间对面，有个小的杂物间，我去拿一面镜子，你们试试躲在门背后，通过**镜子的反光**来看他。”

“好极了！”福尔摩斯高兴地说，“那我们今天中午就过去。”

中午，福尔摩斯带着华生一起到了沃伦太太的公寓。站在公寓大门前的台阶上，他停下来仔细端详着对面的房子。

“你看，华生，”福尔摩斯用修长的手指指向街角的一座房子说，“红色高房子，白色石头门！没错，就是我们今天早晨在报纸上看到的**发暗号的地点**。”

他们跟着沃伦太太上了楼。沃伦太太在杂物间里安放好了镜子。这位置妙极了，从外面看进来一片漆黑，但屋里的人能清晰地看见对面的房门。

丁零丁零！清脆的铃声打破了房间的寂静，是新房客在叫餐了。沃伦太太连忙下楼，没一会儿就端上来一只午餐盘子，放在杂物间对面房门口的椅子上。她转身下楼去了，噔噔噔的脚步声越来越远。

吱呀一声，对面传来了开门的声音。

福尔摩斯和华生在黑暗的杂物间里屏住呼吸，**目不转睛**地盯着镜子。房门缓缓打开，伸出两只纤细的手，迅速地把盘子端了进去。令人目瞪口呆的是，开门的竟然是一个美丽的女人。她惊慌失措地看了看四周，很快就砰的一声关上了门，一切又重归宁静。

福尔摩斯轻轻地拉了拉华生的袖子，两个人猫着腰，踮着脚，悄悄地走下了楼梯。

“我晚上再来，”福尔摩斯对沃伦太太说，“我们先回去讨论一下。”

回到家，福尔摩斯兴奋地对华生说："华生，你看，我的猜测是对的，确实有人顶替了最初租房的房客，但没想到，竟然是个女人。让我梳理一下这件事情的来龙去脉吧：一对夫妻在伦敦**避难**，想躲避什么危险。丈夫需要在外面办一些事情，但又想保障妻子的安全，就让她神不知鬼不觉地住进了这个房间。两人用报纸上的《寻人启事》来联系，而妻子用印刷体写字，就是为了隐藏她的性别。"

"他们到底在躲避什么呢？"华生纳闷地挠了挠头问。

"这就需要我们天黑之后去**一探究竟**了。"

夕阳西下，暮色降临，福尔摩斯和华生回到了沃伦太太

的公寓。福尔摩斯目不转睛地盯着对面的一扇窗户，那里就是报纸上写的即将发出暗号的位置："红色高房子，白色石头门。三楼。左边第二个窗口。"突然，一束暗淡的光出现在了昏暗的暮色中。

"那个房间里有人在走动。啊，有**烛光**出现了！"福尔摩斯低声说道，他急切地探向窗前说，"华生，快看！他开始用烛光发信号了，快，记一下他一共晃了多少下。"

烛光快速地晃动着。"一下，代表字母 A；二十下，代表……第二十个字母，是 T……"福尔摩斯小声说道。他们记下了烛光代表的所有字母，却依然一头雾水。

华生喃喃低语："这些字母连起来是 **ATTENTA**，还重复了三次，这是什么意思呢？"

福尔摩斯皱着眉沉默了一会儿，突然低呼道："啊，我知道了！这是意大利语！信号是发给女人的，连发三遍 ATTENTA，意思是：'当心！当心！当心！'等等，他又到窗口来了，他难道还有什么消息？"

"P-E-R-I-C-O-L-O，"福尔摩斯拼出了单词。"嗯……这是意大利语'危险'的意思，对吗，华生？"

"是的，看来这是一个**提示危险的信号**……"还没等华生说完，烛光突然熄灭了，黑暗笼罩了原来昏黄的窗口。

“看来出事了！华生，我们过去看看！”福尔摩斯一跃而起，飞快地冲出了房门，来到了大街上。

跑出沃伦太太的房子，华生不经意地回头看这栋公寓，顶楼的窗口，隐约有一个女人的身影，似乎在紧张地望着外面的夜空。刚刚中断的信号，肯定让她**心神不宁**。

夜晚的大街十分空旷，一个声音突然响了起来：“嘿，福尔摩斯！你怎么在这里？”

福尔摩斯扭头一看，说：“哟，这不是苏格兰场的葛莱森警探嘛。”他朝这位伦敦警察局的警探挥了挥手，问：“你在这里是……”

“我们在追查**红圈会**的案子，美国大名鼎鼎的平克顿侦探社派人过来了！”葛莱森朝旁边招了招手。

从阴影里走出来一位沉静的青年，他的脸很尖，胡子剃得很彻底，露出干净的下巴。

“你好，福尔摩斯先生！”这位美国侦探礼貌地打了个招呼，便急切地说，“我们跟踪的重要罪犯进了这座房子。他是个杀人不眨眼的家伙，犯下的**谋杀案**足有五十件！我们已经查看过了，这座房子只有一个大门，这回他肯定逃不掉了！”

福尔摩斯问："他进去后，有人出来过吗？"

"只有三个人出来了，这里面没有他！对了，你们怎么会在这里？"

"我们是因为**信号中断**才跑过来的。"福尔摩斯三言两语地把他掌握的情况解释了一遍，最后提议道："我觉得我们应该上楼去看个究竟。"

"对，我们快走。"葛莱森警探一马当先，迈着沉稳的步子上了楼，其他人紧随其后。

到了三楼，他们发现发信号的房间房门半开着，里面黑黢黢的，令人毛骨悚然。

华生急忙划燃了一根火柴，把手提灯点亮，黄色的灯光立刻驱散了黑暗。然而，一道鲜红的血迹让所有人都倒吸一口凉气。一串**血红的脚印**一直通向一扇紧闭的房门。

砰——葛莱森警探二话不说，用肩膀用力把房门撞开了。只见这间空屋的地板上，躺着一个身材魁梧的人，已经没有了呼吸。一把**白柄的刀子**刺穿了他的喉咙。

"哎呀，他就是我们在追查的人——乔吉阿诺！"美国侦探惊叫道，"竟然有人比我们抢先了一步！噢，这么**穷凶极恶**的人，也有这么一天。真是报应哪！"

葛莱森警探突然惊呼道："哎，福尔摩斯，你在干什么？"

原来，福尔摩斯点亮了窗台前的蜡烛，对着窗外不停地晃动着。过了好一会儿，他吹灭蜡烛，回到屋子中间，抱着双臂沉思了片刻，这才开口说道："你们刚才在楼下看到的三个人里面，有没有一个黑皮肤、黑胡子、中等身材的年轻人？"

"有，他们每个人我都仔细观察过了。"葛莱森警探点点头说，"你说的这个人是最后一个走出去的。"

福尔摩斯平静地说："我想，躺在地上的这个人，就是他杀的！屋子里的**血脚印**，也是他留下的。"

葛莱森瞪圆了眼睛，说："啊？伦敦城里有几百万人哪，我们去哪里找这血脚印的主人？"

福尔摩斯挑了挑眉，说："如果想找到他，或许他的妻子可以帮忙。"说着，他朝大门方向努了努嘴。

大家转过身去，只见门口站着一个美丽的女人——就是住在沃伦太太家的**神秘房客**。她脸色苍白，双手微微颤抖着，黑色的双眼惊恐地注视着地板上的尸体。

"你们把他杀死了？"她喃喃道，"啊，老天哪，你们把他杀死了！"这个美丽的女人深吸一口气，欢呼着在房间里转圈跳舞，兴奋得使劲地拍手。

很快，她停了下来，警惕地向四周扫视着，**小心翼翼**地问道：“那么，我丈夫根纳罗呢？他现在在哪里？刚才明明是他在这个窗口叫我，我才赶紧跑了过来。”

“叫你来的人是我。”福尔摩斯微微一笑说。

“你？怎么可能？”女人脸色大变。

“你的**密码**并不难懂，夫人，我知道，只要我闪出意大利语‘来吧’，你就会出现。”

“你怎么会知道这些？”女人神色惶恐，身子颤了一下。突然，她的脸上出现了骄傲和喜悦的表情。她说：“我明白了，是我丈夫根纳罗杀了这个恶魔！啊，根纳罗，真是你干的吗？”

“这位夫人，”葛莱森警探皱着眉说，“如果据你所说，你丈夫杀了眼前的这个人，那么，你需要跟我去警察局走一趟。”

“等等，葛莱森，”福尔摩斯上前一步挡住了他，转头望向女人说，“夫人，如果你丈夫杀了人，那他可能会因为故意杀人罪而被判刑。希望你能告诉我们事情的全部经过。”

“既然乔吉阿诺死了，我也就不怕什么了。”这位女士挺直了身子，目光坚定地说，“他是一个魔鬼，我丈夫肯定是正当防卫。没有法官会因为我丈夫这么做而给他定罪的。”

她缓缓讲起了自己的**故事**：“我是意大利人，我的父亲是大法官，根纳罗为我父亲做事。他聪明帅气，充满活力，我爱上了他。但是因为他很穷，我父亲怎么也不同意我们结婚。我们只好私奔，去了美国。

“一开始很顺利。我丈夫碰巧从几个暴徒手里救了一个意大利富翁，他叫卡斯。卡斯先生很感激我丈夫，为我丈夫找了一个好工作，就这样，我们在美国**安家立业**，未来一片光明。可是有一天，乌云出现了。

“一天晚上，我丈夫下班回家，带来一个同乡，名叫乔吉阿诺。他身材高大，举止粗鲁，让人看了就害怕。他常常来我们家，每次都滔滔不绝的，而我丈夫总是一声不吭地坐着，脸色苍白，眼里似乎透露出一丝恐惧的神情。

“有一天，我恳求他告诉我，为什么会被这个大个子弄得**无精打采**，他终于告诉了我事情的真相：原来，他在意大利的时候加入了一个黑帮，叫作**红圈会**。后来我们逃到了美国，他以为已经跟红圈会一刀两断了，没想到，这个杀人不眨眼的乔吉阿诺竟然跑到了美国，在美国建立了红圈会的分会，还找到了我们的下落。

“一天晚上，乔吉阿诺趁我丈夫不在，竟然粗鲁地抱住我。我丈夫正好回来，那个野人一样的家伙打晕了我丈夫，逃了出去。从此，我们成了冤家对头。

“后来，红圈会想要敲诈我们的朋友卡斯，没有得逞。为了杀鸡儆猴，他们决定杀死卡斯。乔吉阿诺耍了个手段，故意让我丈夫抽中签去执行这个任务。卡斯是我们的好朋友，他怎么可能下得了手？所以，我们经过商量，决定连夜逃跑，后来逃到了伦敦。

“先生们，之后发生的事情你们也都知道了，我们的敌人像影子一样跟着我们。我丈夫把我悄悄地安顿在那套公寓里，而他自己就在外面想办法对付敌人。

“有一次我朝窗外张望，发现两个意大利人在监视这栋房子，我知道，乔吉阿诺已经找到我们了。幸好我丈夫早有准备！我们总算彻底摆脱这个恶魔了！”

“夫人，你还是要跟我去警察局一趟。”葛莱森警探公事公办地说，“如果你丈夫确实是正当防卫，法律会还他公道的。”

潜水艇计划

福尔摩斯的哥哥迈克罗夫特突然来拜访福尔摩斯，带来了一个棘手的案子。有人在铁轨旁发现了阿瑟的尸体，他的口袋里有一小沓机密文件。可怕的是，最重要的三份文件不翼而飞了！是阿瑟盗取国家机密文件卖给了外国间谍吗？迈克罗夫特拜托福尔摩斯尽快破案，并追回文件，决不能让文件落入外国间谍手中……

一连好几天，伦敦城里浓雾弥漫。福尔摩斯和华生无事可做，已经三四天没有出门了。这天早上，福尔摩斯焦躁地走来走去，敲敲家具，咬咬指甲。终于，他忍不住问华生："难道报纸上就没有什么**有趣的新闻**吗？"

华生耸了耸肩，说："如果你指的是棘手的案子，那一个也没有。"

福尔摩斯无精打采地缩在椅子里，说："生活如此乏味！难道我就要困死在这里了吗？"

就在这时，门铃丁零丁零响了，女仆走进来，递上一封电报。福尔摩斯拆开看了一眼，立刻爆发出一阵大笑。他就像一条猎犬，刚才还懒洋洋地躺在窝里，耷拉着耳朵，尾巴无力地下垂着，转眼间，变得两眼发光，浑身肌肉紧绷，好像闻到了猎物的味道一样。

他大声嚷道："太好了！我哥哥迈克罗夫特要来了，他一定会给我带来有趣的难题！”

华生惊讶地挑着眉说：“你怎么能这么确定呢？”

“哦，医生，你还不知道迈克罗夫特是什么人吧？”

“我记得他在英国政府部门工作。”

福尔摩斯轻轻笑了，说：“没错，他只是英国政府部门的一个小职员，但同时也可以说，他就是英国政府。”

“什么?!”华生惊讶得张大了嘴巴。

“迈克罗夫特和我一样很有智慧，只不过我选择了侦探行业，而他为英国政府工作。政府各部门的所有情报都会汇总到他那里，他用自己**精密的大脑**，帮助政府做出了一个又一个正确的决策。”福尔摩斯耸了耸肩说，“他会来我这里，一定是有什么涉及国家安全的大事需要我帮忙。不过……他说为了阿瑟·韦斯特来见我，这个人是谁，我怎么从没听说过呢？”

华生喃喃道：“阿瑟·韦斯特……这名字听着好熟悉呀。啊，对了，他在最近的报纸上出现过！”华生一下扑到报纸堆里，飞快地翻出一张，说：“你看，星期二早上，这个阿瑟死在了铁路上。”

福尔摩斯突然表情严肃，拿**烟斗**的手好像冻住了一

样。"他是什么身份？"

华生看着报纸回答道："阿瑟今年二十七岁，在伍利奇兵工厂工作。"

"兵工厂……果然是跟**国家安全**有关的案子。他是怎么死的？"

"星期一下班之后，他去见自己的未婚妻。晚上七点半，周围雾蒙蒙的，他和未婚妻正走在路上。突然间，他不知看到了什么，撇下未婚妻一个人冲进了浓雾里，连声招呼都没打。在那之后就没人见过他了，直到第二天早上六点，一个铁路工人在伦敦阿尔盖特车站外的铁路上发现了他的尸体。他并没有遭到抢劫，也看不出有跟人搏斗过的迹象，但是头部伤势严重。根据警方判断，他应该是从火车上摔下来的。"

福尔摩斯补充道："嗯，他可能是自己跳下来的，也可能是被人从火车上扔下来的，而且，还不能断定他掉下火车之前是死是活。"

华生点了点头，继续读着报纸上的报道："目前警方还不能确定他是在哪一站上的火车，因为他身上没有**火车票**。"

"没有车票！这真是太有意思了。那他身上有什么东西？"

"一点零钱、几张支票，还有两张剧院的门票，是当天晚上的。除此之外，还有一小沓兵工厂的**技术文件**。"

福尔摩斯看起来对这些线索很满意，说："技术文件大多都是国家机密，他的死一定跟这些文件有关。还有别的信息吗？"

华生摇了摇头。福尔摩斯吸了一口烟，眯起眼睛看着门口，说："那么，剩下的事情就要让我哥哥迈克罗夫特来给我们解释啦。"

噔噔噔！噔噔噔！门外响起了重重的脚步声。不一会儿，一个高大粗壮的男人被女仆领了进来。

福尔摩斯满面笑容地迎上前去，说："你好，迈克罗夫特！"这位就是福尔摩斯的**亲哥哥**。他虽然身形看起来有些笨重，但深邃的铁灰色的眼睛里，显露出不同寻常的机智和敏锐。他们兄弟俩都姓福尔摩斯，哥哥的名字叫迈克罗夫特，弟弟叫夏洛克。只不过，弟弟太有名了，所以一说到福尔摩斯，更多人立马就会想到大侦探夏洛克·福尔摩斯。

“嘿，福尔摩斯！”在迈克罗夫特身后，还跟着苏格兰场的警探雷斯垂德，他是福尔摩斯的老朋友了。

两人进门时都阴沉着脸，看样子事态十分紧急。

“这件事实在太糟糕了。”迈克罗夫特坐下之后，**单刀直入**地说，“整个海军部都乱成了一团，像个被捅翻了的马蜂窝。就连英国首相都**心神不宁**。这一切，就为了这个叫阿瑟的家伙。”

福尔摩斯问道：“是因为他身上的那份技术文件吧？那究竟是什么文件？”

迈克罗夫特神情凝重地说：“是**布鲁斯—帕廷顿潜水艇计划**，国家的核心机密。两年前，政府拨了一大笔款项来支持这个计划。潜水艇计划非常复杂，包含三十多项专利技术，这些技术文件绝对不能落到**外国间谍**手里。”

“这么重要的计划，保密措施一定很到位吧？”

“文件放在兵工厂的机密办公室里，用一个精密的**保险柜**保存着。任何人都不能把文件带出去。就算海军的总工程师要查看文件，也只能亲自到这间办公室来看。”迈克罗夫特困惑地说，“我们却在伦敦的市区，在一位死去的小职员身上发现了文件。这太可怕了！”

“幸好文件没有丢，还在他身上。”华生插嘴道。

迈克罗夫特摇了摇头，说：“不，他应该拿走了十份文件，但是在他身上只找到七份，最重要的那三份不见了。夏洛克，我来找你就是为了这件事情，你一定要查出阿瑟之死的真相，把失踪的文件追回来！”

福尔摩斯挑着眉问哥哥：“你这么聪明，为什么不自己去查？”

“别开玩笑了，夏洛克，你知道我最不擅长东奔西跑地去追查线索。”

“那好吧。我需要知道更多情报。”福尔摩斯向前探了探身子说，“保险柜的**钥匙**在谁手里？”

“只有两个人有钥匙，我都写在这张纸上了。”迈克罗夫特把一张纸条交给福尔摩斯说，“一个是这个计划的主管詹姆斯爵士。出事的那天晚上，他在一位将军家里，钥匙也一直带在身上，有人可以为他做证。”

“那另一个管钥匙的人呢？”

“另一个是高级职员约翰逊先生，他为人老实，工作努力。那天是他最后锁上了保险柜的柜门，然后他一整晚都待在自己家里，钥匙也带在身边。他的妻子为他做证了。”

福尔摩斯追问道：“那阿瑟先生呢？他工作如何？”

“他已经工作了十年，表现一直都很好。能够接触到这些文件的，就只有这**三个人**了。”

福尔摩斯飞快地思考着。“但是阿瑟没有保险柜的钥匙，他要拿走文件，手里必须要有一把仿造的钥匙——”

迈克罗夫特摇了摇头，说：“不，他需要**三把仿造的钥匙**才行。下班之后，保险柜、办公室和大楼的门都锁着。”

福尔摩斯用手摩挲着下巴，来回踱着步说：“那就假设三把钥匙他都有。他偷走文件，坐火车来到伦敦，打算把信息卖给外国间谍。原本他应该是计划在第二天一早，神不知鬼不觉地把文件放回原处，没想到却在火车上丢了性命。”

迈克罗夫特显然不太赞同，他提出了疑问：“那他口袋里的两张剧院门票又是怎么回事？如果他计划好了要去偷文件，怎么会在当天晚上和未婚妻约会，结果半路突然失踪呢？”

一旁的雷斯垂德警探听得不耐烦了，他插嘴道：“那只是个**障眼法**罢了。”

迈克罗夫特的眉毛拧成一条线，他又问：“那你怎么解释其他的疑点呢？第一，失踪的三份文件去哪里了？第二，既然阿瑟卖了几份重要文件，那他应该能得到一大笔钱，可是在他身上并没有找到这样一笔钱。第三，阿瑟既然是从火车上摔下来的，他身上为什么没有火车票？”

“这些都很好解释。”雷斯垂德警探挥着手说，“他见到了外国间谍，但双方在价钱上没谈拢，于是他又坐火车回去了。没想到，外国间谍悄悄跟着他上了火车，杀死了他，还抢走了他的文件和火车票，再把他扔出窗外，**一了百了**。”

福尔摩斯拍了拍手，说：“这样推理真不错，可以解释所有问题！可事情如果真是这样，那些文件肯定早就被送到国外去了，我们还有什么事可做？”

迈克罗夫特猛地从椅子上弹了起来，脸色铁青地说：“不可能！直觉告诉我，事情绝对没这么简单！夏洛克，拿出你的本事，把这件事给我分毫不差地搞明白！”

福尔摩斯无奈地耸了耸肩，说："好吧，那我只好尽量去调查一下。不过我**有言在先**，你可千万别抱太大希望。"

迈克罗夫特离开了贝克街，福尔摩斯拉着华生和雷斯垂德警探，一起来到了**案发现场**。铁路公司的一位老先生告诉他们，尸体是在阿尔盖特车站外发现的，距离铁轨一米左右。他们推测，阿瑟乘坐的是星期一半夜十二点左右的一列火车。

"那列火车的车厢里有打斗的痕迹吗？"

"完全没有。"

"有哪扇车门是开着的吗？"

“没有，所有车门都关得好好的。”

华生感到非常纳闷：那阿瑟是怎么从火车上摔下来的呢？这时，福尔摩斯正紧盯着铁轨，嘴唇紧闭，双眉紧锁。过了一会儿，他开口道：“这里有很多**路闸**！”

老先生听得一头雾水，问：“路闸……怎么了？”

“火车开过路闸的时候，会颠簸得很厉害，如果这时候车顶上有什么东西……”福尔摩斯猛地抬起头说，“对了，这里明明是发现尸体的地方，为什么一点儿**血迹**也没有？老先生，你们发现尸体的时候，现场就这么干净吗？”

老先生点了点头，说：“尸体受伤很重，但这里确实没发现什么血迹。”

福尔摩斯搓了搓手，眼睛里闪着兴奋的光芒，说：“我有一个大胆的猜想，华生。不过现在，我们得先给迈克罗夫特发一封电报。”

他的电报是这样写的：

> 我们发现了一丝线索，犹如黑暗中见到了一线光明。请立刻写下你们知道的所有外国间谍的名字和住址，并派人送往贝克街。
>
> 夏洛克

接着，他送走雷斯垂德警探，带着华生一起坐上了开往伍利奇兵工厂的火车。在火车上，华生终于忍不住问道：“福尔摩斯，你现在究竟是怎么想的？”

福尔摩斯的脸上现出兴奋的神情，他说道：“我推断，阿瑟既不是自己摔下火车，也不是被别人扔下火车的。凶手在别的地方把他杀了，然后把尸体放在火车的车顶上。”

华生惊讶地瞪大了眼睛。福尔摩斯信心十足地解释道：“现场没有血迹，所以铁路上肯定不是第一案发现场。火车开过路闸时一阵颠簸，车顶上的尸体很容易被甩下来，这就可以解释，为什么阿瑟恰好落在火车站附近，而身上却没有火车票。”

“啊，因为他根本就不是正常乘坐火车的！”华生惊叫一声，捂住了嘴。

“没错。”福尔摩斯点了点头说，“等我们到了兵工厂，会发现更多线索的。”

他们在兵工厂附近下了车，首先要去拜访主管这项计划的詹姆斯爵士。然而，一件令人意想不到的事情发生了。

出来接待他们的是詹姆斯爵士的弟弟沃尔特上校。他头发蓬乱，眼睛通红，语气沉重地说：“我哥哥他……今天早晨……不幸**去世**了。”

两人简直不敢相信自己的耳朵，福尔摩斯惊呼：“什么？怎么会这样？”

沃尔特上校摇了摇头，重重地叹了一口气，说：“唉——兵工厂在他手下出了那么大的事情，他觉得非常惭愧，受不了这个打击……”

“天哪……”华生也感到十分震惊，“我们本来还想找詹姆斯爵士……问问文件的事……”

沃尔特上校**有气无力**地摆了摆手，说：“我哥哥生前已经把他知道的都告诉了警方，你们就算见到他，也问不出什么了。”

福尔摩斯锐利的眼神紧盯着上校，问：“那你呢？沃尔特上校，关于这个案子，你知道些什么吗？”

“我什么也不知道，福尔摩斯先生，我现在非常难过，实在没有力气回答你任何问题。”沃尔特上校鞠了一躬说，“我就不送你们了。”

这显然是在下**逐客令**，福尔摩斯和华生只好离开了上校家。下一站是死者阿瑟家。他的老母亲悲痛欲绝，几乎神志不清，一句话也说不出来。她旁边有一位脸色苍白的女士，一问才知道，原来是阿瑟的未婚妻维奥莱特小姐。阿瑟遇害前的那天晚上，就是在她眼皮底下消失的。

福尔摩斯迫不及待地上前问道：“小姐，能请你详细描述一下事发那晚的情况吗？”

维奥莱特努力克制着悲痛的心情，回忆起了那天晚上发生的事情。“阿瑟约我去剧院看戏。晚上雾太大了，我们没法坐马车，只好步行前往。半路上，他经过自己办公室的时候，突然惊叫一声，连声招呼都没打，就飞快地冲进了大雾里。我喊他，他没回应。后来……他就再也没回来了……”

“那你最近有没有觉得，阿瑟有什么奇怪的地方？”

维奥莱特小姐擦了擦脸上的眼泪，说：“其实……这段时间，他一直心事重重的。我问他到底是怎么了，他说，和工作的事情有关。而且……”她犹豫了一阵，才吞吞吐吐地回答，“他还……还提到过外国间谍。他说，外国间谍一定愿意花高价买这些机密文件。”

福尔摩斯的脸色阴沉下来，说：“恕我冒昧，你们最近是不是要结婚了？应该很需要钱吧？”

“我们确实打算在这个新年结婚，但是他并不缺钱。他的薪水不低，足够我们花销了。我绝对不相信他会出卖国家的情报，没有人比他更单纯、更忠诚了！”

福尔摩斯皱着眉摇了摇头，说：“我没有别的要问的了。华生，我们去文件被盗的办公室看看吧。”

路上，他对华生说：“现在的情况对阿瑟**很不利**呀。他提到过外国间谍，又恰好快要结婚，谁都会认为，他是为了钱而偷文件卖给外国间谍。不过，还是有地方解释不通……他惊叫着从未婚妻身边跑开，究竟是发现了什么呢？如果是跟外国间谍交易，不是应该提前约定好时间和地点吗？他怎么会在这个时候还跟未婚妻约会？”

他们来到兵工厂存放机密文件的办公室。高级职员约翰逊先生正**惶恐不安**地坐在里面。他身材瘦削，憔悴极了。他看了福尔摩斯的名片，两手不停地抽搐，神经质地嚷嚷：“唉，真是糟透了！文件被偷了，詹姆斯爵士也去世了……这里现在一团糟！老天爷哪，这个阿瑟竟然会干出这种事来，太可怕了！亏我平时那么信任他！”

“冷静一点，约翰逊先生。”福尔摩斯安抚着他，“我听说出事那晚，你是最后一个锁保险柜的。那三把钥匙，你身上都有吗？”

约翰逊摇了摇头，说：“我只有保险柜的钥匙，办公室和大楼的钥匙都在詹姆斯爵士那里。”

福尔摩斯点了点头，说：“还有一件事，你们办公室里这几个人，如果想要把文件复制一份，都很容易做到吧？”

“那是当然。你问这个做什么呢？”

“这太奇怪了。既然有能力复制文件，阿瑟又何必冒那么大的风险，把文件原件偷走呢？”福尔摩斯自言自语道。他仔细检查了保险柜和门窗，接着来到庭院里。这时，他的眼睛亮了起来：窗外的草地上，长着一丛月桂树，上面的几根树枝有被折断的痕迹。他连忙拿出**放大镜**，又仔细查看了半天。

“唉，已经过去三天了！许多痕迹都被破坏了。”福尔摩斯遗憾地站起身说，“现在，我们只能回伦敦去了，华生。”

在离开兵工厂的火车站时，他们意外得知了一条**新线索**。火车站的售票员告诉他们，阿瑟在失踪的那天晚上，曾经在他这里买了一张火车票，是晚上八点十五分发车开往伦敦的。售票员还说，他对阿瑟印象深刻，因为阿瑟当时看起来惊慌失措，手抖得厉害，连找给他的零钱都拿不住。

福尔摩斯摸着下巴，说：“阿瑟是在七点半左右离开未婚妻的，接着便匆忙来赶这列火车。当晚的情况可能是这样的：阿瑟正和未婚妻走在去剧院的路上，他经过自己办公室的时候，突然发现附近有**可疑人物**。之前他就觉察到有外国间谍对那些机密文件感兴趣，所以情急之下，他顾不得跟未婚妻解释什么，立刻追了上去。”

华生提出了疑问：“他为什么不报警呢？”

“问得好，华生。我想，或许是那个人**身份特殊**，导致他不能报警。说不定，正是他的顶头上司……”

“你是说，詹姆斯爵士？”华生惊讶地叫出声来。

“有可能。后来，他急匆匆地追着这个人，一路追到了伦敦。至于之后发生了什么，是谁杀害了他，拿走了三份文件，这些就是我们要调查的。”

福尔摩斯和华生回到了贝克街。**丁零丁零**！有人按响了门铃。不久，女仆送上来一封信。福尔摩斯拆开一看，原来是哥哥迈克罗夫特给他的回信，上面写着众多外国间谍的名字和地址。福尔摩斯连忙拿出伦敦地图，仔细对照着信上的地址。“太好了！”他突然惊喜地大叫起来，“华生，有线索了！我得出去一趟。你就在家等我的好消息吧。”说完，他飞快地冲出了家门。

华生在屋里焦急地等了两个小时，终于等来了一个口信。福尔摩斯让他带上**手枪**、铁橇、提灯等工具，到一家饭店跟他会合。想必，这又将是一次**惊心动魄**的冒险。华生迅速准备好一切，裹紧大衣，急匆匆地穿过昏暗的街道，消失在浓雾里。

华生刚到饭店，福尔摩斯就迫不及待地走过来说道："你知道我发现了什么？刚才我看地图的时候，发现有一个外国间谍的家**紧挨着铁路**。所以刚才我去实地考察了。他家有一扇窗户，刚好就在铁路上方。更重要的是，那里是铁路主干线的一个交会点，列车到那个车站往往会停靠几分钟。你想，火车停在他家窗户下的时候，他把一个人的尸体扔到车顶上，有什么难的吗？"

“哦，那确实不是什么难事！”华生这才恍然大悟，“福尔摩斯，你让我带那些工具来，不会是要撬门闯进他家里吧？”

福尔摩斯耸了耸肩，说：“我调查的时候，发现那家伙已经逃走了，但是大门紧锁着，我们只能撬门了。华生，你帮我放风就行了，剩下的事情我来做。”

不一会儿，两人来到了间谍那栋房子的地下室。福尔摩斯接过工具，猫着腰忙活了一阵。只听咔嗒一声，门锁开了。福尔摩斯带着华生跳进黑洞洞的过道，七弯八拐地绕了一阵子，来到一个低矮的窗户前。他用手里的提灯照亮了窗台，说：“快看！这里有血迹，刚才楼梯上也有。阿瑟一定是在这栋房子里被杀害的。”

轰隆——轰隆——漆黑的夜色下，一列火车开了过来。“我们等它停下吧。”果然，没过一会儿，火车晃晃悠悠地在窗外停下了。华生惊讶地发现，车顶距离窗台竟然只有一米多点。福尔摩斯点了点头，说：“看来我猜测得完全没错。他杀了人，把尸体扔在车顶上。火车经过路闸的时候，颠簸得比较厉害，车顶上的人就滚了下去。那就是他们发现阿瑟的地方。”

福尔摩斯又仔细搜查了所有的房间，最后，他在一个铁盒子里发现了几张报纸碎片。“看看我们找到了什么！”他因为激动而面颊泛红，“这些是《每日电讯报》的《寻人启事》，署名都是皮罗特。有好几篇呢！我想，他们一定是用这份报纸的《寻人启事》栏目来传递消息的……接头的时间、地点，都说得清清楚楚！哈哈，回家吧，华生，这是我们今天最大的收获了！”

第二天一早，福尔摩斯的哥哥迈克罗夫特和雷斯垂德警探焦急地赶到了贝克街。哥哥开门见山地问：“怎么样，有什么新进展吗？”

福尔摩斯把昨天发现的情况讲了一遍，又不紧不慢地拿出那几张报纸碎片。迈克罗夫特眉头紧锁，一双智慧的灰眼睛显得有些黯然，说道：“交易早就完成了，间谍也跑了。报纸上这些接头暗号都是过去的，他们再也不会去接头的地方了。这些信息还有什么用呢？”

福尔摩斯神秘地笑了笑，又从桌上拿起一张报纸，说：“来看看今天的《每日电讯报》。”

雷斯垂德警探看了一眼，忍不住惊叫起来：“什么！这个皮罗特今天又发消息了？他……他竟然约对方今晚九点在老地方见面？呵呵，敲两下门作为暗号！太好了！真是天助我也！不过……间谍不是跑了吗？怎么还约在那栋房子里见面？真是奇怪……”

迈克罗夫特反应过来了，抬头对弟弟说：“夏洛克，这是你伪造的**假消息**吧？你想用它引蛇出洞，对吗？嗯，真是好办法！”

“没错！今晚八点，我们一起过去吧！这回一定能揭开所有谜团。”

想到晚上要去捉贼，华生一整天都**坐立不安**。好不容易熬到八点，他们一起出发前往那栋房子。

约定的九点到了，目标并没有出现。怀表嘀嗒嘀嗒地走着。十点……十一点……还是没人敲门。华生忐忑不安，心想：“该不会是对方察觉到什么，不来了吧？”然而，福尔摩斯一直**镇定自若**地坐在屋里的椅子上。突然，他猛地抬起头，把一根手指竖在嘴边，说：“嘘——有人来了！”

大家竖起耳朵，听到门外传来了**窸窸窣窣**的脚步声，然后是咚咚两声敲门声。福尔摩斯平静地走过去，打开了门。外面的人看到福尔摩斯的脸，惊叫一声，转身就要跑。福尔摩斯**眼疾手快**，一把抓住他，像拎小鸡一样拎了进来。

那人头上的帽子滚到了地上，华生一下子叫了出来：“沃尔特上校！怎么是你？”

上校一把捂住了脸，哆哆嗦嗦，一句话也说不出来。

“这下全都清楚了。是上校你仿造了哥哥的钥匙，但是因为你不懂复制文件的技术，所以只好**偷走了原件**，卖给了间谍。没想到，阿瑟撞破了你的好事，你就杀了他，是不是？”

上校慌乱地大喊：“不，我没有杀他！他一路跟踪我来到这里，冲进来质问我为什么偷文件，结果那个间谍打了他一棍子，就把他打死了。尸体也是被那个间谍扔在火车上的，不关我的事呀！”

迈克罗夫特急切地问道：“那三份文件呢？”

“被……被间谍拿走了。”

“拿到哪里去了？”

“我不知道……”上校摇了摇头，突然又叫道，“不过他给我留了**通信地址**，是法国巴黎的一家酒店。”

福尔摩斯咧嘴笑了：“那你按照我说的，给他写一封信，或许还能将功抵罪。”

上校按照福尔摩斯的指示，**战战兢兢**地写了这样一封信：

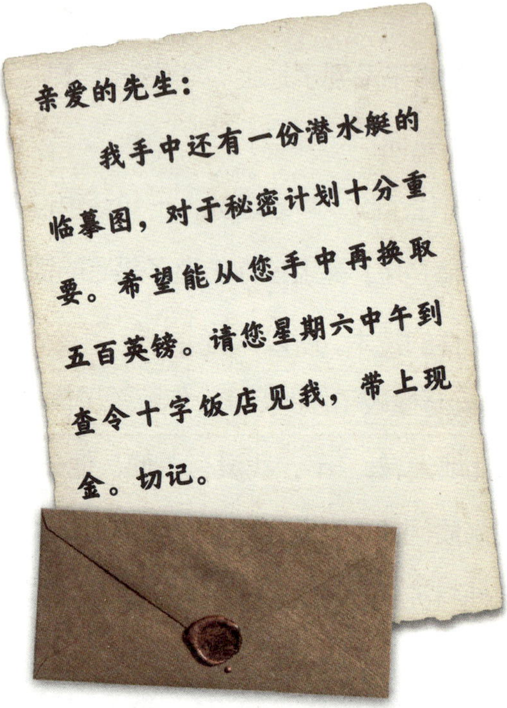
亲爱的先生：

我手中还有一份潜水艇的临摹图，对于秘密计划十分重要。希望能从您手中再换取五百英镑。请您星期六中午到查令十字饭店见我，带上现金。切记。

福尔摩斯看了一遍信，满意地把它寄了出去。

作为故事的记录者，华生后来没再继续参与这个案子。不过，他听说不久后那位外国间谍自投罗网，被英国政府抓了起来，判了十五年有期徒刑。丢失的三份文件也在他的手提箱里找到了。

沃尔特上校当然也被判了刑，坐牢第二年，他就死在了监狱里。据说，福尔摩斯去英国女王的城堡做客了一天，带回来一枚漂亮的绿宝石领针。他说，是一位尊贵女士送的礼物。华生猜想，说不定就是英国女王对他的嘉奖呢。

临终的侦探

一个可怕的消息如晴天霹雳般砸在了华生头上：福尔摩斯得了传染病，生命垂危！可奇怪的是，病危的福尔摩斯却屡屡做出诡异举动，既不让华生给他治病，又不让华生去找别的医生。最后，福尔摩斯总算允许华生找人帮忙，可从他口中说出的，却是一个完全陌生的名字……

咚咚咚！一阵急促而又慌乱的敲门声响了起来。华生连忙跑去开门，发现门外站着的竟然是福尔摩斯的房东哈德森太太，她看上去既紧张又害怕，一见到华生就急切地拉住他，说："不得了啦，福尔摩斯**快病死了**！"

"什么？"华生脑袋里嗡地一下，仿佛停止了运转。很快，他深吸一口气，强迫自己镇定下来。"怎么回事？福尔摩斯生病了，我怎么一点儿也不知道？"他一边说着，一边飞快地穿上大衣，戴上帽子，拉着哈德森太太就向门外冲去。

哈德森太太努力让自己跟上华生的步子，她喘着气说："唉……他最近一直待在什么贫民窟，好像是在研究一种**传染病**。结果……三天前，他带病回到公寓，躺倒在床上，一病不起。他不吃也不喝，更糟糕的是，坚决不让我请医生！"

哈德森太太边说边摇头："今天早上，我实在是看不下去了，一定要给他请医生。他终于有气无力地说：'那就把华生

SHERLOCK HOLMES

找来吧。’所以，我就过来找你了。”

“那……他现在情况怎么样？”

哈德森太太的声音哽咽了起来：“他那张脸……简直不能看了……两边的颧骨都突出来了，两只大眼睛就那么呆呆地看着我。我看……他可能熬不过今天了……”

听了哈德森太太的话，华生**心乱如麻**，恨不得长出两只翅膀立刻飞到福尔摩斯的身边。他们叫了一辆马车，用最快的速度赶到了贝克街 221B 的公寓。华生走进房间，借着昏暗的光线，看清了床上虚弱的病人，他的心一下子揪紧了。

福尔摩斯已经瘦得不成样子了，他的眼睛发红，干巴巴的

嘴唇上起了一层黑皮，脸上红得很不正常，放在床单上的两只手不停地颤抖。华生一眼就看出来了，他是在发高烧。福尔摩斯见到华生，艰难地张了张嘴，虚弱地说："你来啦……医生。"

华生三步并作两步冲向福尔摩斯。然而，福尔摩斯却脸色大变，用尽全身力气大吼起来："站住！快走开！"

华生停住脚步，疑惑地问道："怎么了？"

福尔摩斯声音嘶哑，**有气无力**地摆着手，说："我得的这种传染病很危险，你站远一点，千万别被我传染了。"

华生感动得眼前一热。然而，他还是坚定地摇了摇头，说："福尔摩斯，我可是一名医生，怎么能因为怕被传染就不敢上前？别说你是我的朋友，就算是陌生人得了传染病，也不能阻止我靠近他。"

福尔摩斯无奈地说："华生，你只是个退役军医，能懂得多少传染病的知识？就算真要找人看病，我也要找专业的传染病医生。"

华生**难以置信**地看着福尔摩斯。他完全没有想到，福尔摩斯居然会质疑自己的医学水平！不过，他决定不和病人计较，于是说道："那好吧，我认识一位传染病领域的权威教授，我这就请他过来。"说完，华生转身向门外走去。

福尔摩斯突然像老虎一样**一跃而起**，跌跌撞撞地冲到门口，用钥匙把门反锁了，然后又摇摇晃晃地走回床边，气喘吁吁地倒在床上。华生目瞪口呆，止不住地喊了一声：“福尔摩斯！你到底在搞什么鬼？”

福尔摩斯大口大口地喘着粗气，声音比刚才还要虚弱、还要嘶哑：“华生，你现在还不能离开。现在是下午四点，等到六点，我就让你走。两个小时而已，你愿意留一会儿吗？”

华生看了看反锁的房门，又看了看福尔摩斯，懊恼地抓了抓头发，说：“看来我没有别的选择了。唉，希望这两个小时你的病情不会恶化。”

福尔摩斯**如释重负**地笑了：“我知道你不会狠心拒绝我的，华生。那边有很多书，你可以翻翻，我实在没有力气陪你聊天了……”说完，福尔摩斯用颤抖的手拉了拉被子，似乎昏睡过去了。

华生心情焦躁，拿起书翻了几页，却怎么也看不下去，只好在屋里漫无目的地来回走动着。不一会儿，他走到壁炉前，观察放在上面的杂物：**烟斗**、**烟丝**、**小刀**、**手枪的子弹**……咦？那个黑白相间的小盒子是什么？华生从没见过这东西，它看起来非常精致，似乎是用象

牙做的。他伸手拿起盒子，打算仔细瞧瞧，突然，福尔摩斯在他身后发出惊雷般的吼叫声。这声音太可怕了，连楼下的行人都能听见。

“放下！快放下！我叫你马上放下！”华生慌忙回过头去，只见福尔摩斯脸颊上的肌肉抽搐着，看起来像疯了一样，令人**毛骨悚然**。华生迅速放下盒子。福尔摩斯这才长长地舒了一口气，说：“我最讨厌别人动我的东西了，华生，你最好乖乖坐在椅子上，别到处乱走。”

华生觉得福尔摩斯实在是不可理喻，大概是因为发高烧，烧坏脑子了吧！他只好老老实实地坐在椅子上，时不时地看看钟表，**焦躁不安**。而福尔摩斯也一直在看着钟。六点一到，福尔摩斯准时开口了：“华生……你身上有零钱吗？”

华生莫名其妙地点了点头，说：“有啊。”

“那你拿几枚硬币……放到表袋里，剩下的……都放进左边的裤子口袋里。”福尔摩斯咧着干裂的嘴唇说，“这样就可以让你的身体保持左右平衡啦！咳咳咳！”

福尔摩斯颤抖着，猛烈地咳嗽起来。华生忍不住同情起来，他都烧得开始说胡话了。接下来，福尔摩斯又虚弱地要求道："医生，请你把煤气灯点亮吧，不过不要太亮。不……不必开窗户。把报纸放在我面前的桌子上，再用夹子把壁炉上的那个盒子夹过来，放在报纸上。注意，要用夹子夹，千万不要用手碰到它——"

华生完全按照他的要求做了，福尔摩斯终于如释重负地说："好了，现在麻烦你到伯克大街 13 号，请史密斯先生来给我看病吧。"

"史密斯先生？他是医生吗？我怎么从没听过这个人。"

"他不是专业的医生，而是**种植园主**。我染上的是一种东方的疾病。前些天，我在码头上跟一些亚洲的水手接触过，估计是被他们传染的。这个史密斯……他来自亚洲的苏门答腊岛，现在……在伦敦访问。我知道……他对这种传染病很有研究。我刚才一定要你等到六点，就是因为他六点以后才会在家。"福尔摩斯停下来，费力地喘了几口气，然后继续说道，"我想，全伦敦只有他能救我的命了！"

华生立刻下定了决心，说道："我立刻就去！"

"等一下！"福尔摩斯叫住了华生，叮嘱道，"遗憾的是，我和这位史密斯先生之间有点**误会**。他的侄子前段时间因病去世，我一直把他当作嫌疑人调查，所以，他说不定会拒绝给我看病。”

华生激动地说：“福尔摩斯，我会告诉他你现在有多么痛苦，多么可怜，他不会见死不救的！”

“那就最好了。”福尔摩斯有气无力地笑了笑说，“还有一点非常重要。在他答应过来之后，你要找个理由，先回我这里来。无论如何，千万不能和他一起来，记住了吗？”

说着，他把房门钥匙递给了华生。他在说这些话的时候，病痛依然折磨着他。华生在等待的两个小时里，眼睁睁地看着福尔摩斯的病情恶化了：热病斑点越来越明显，深陷的黑眼窝更加空洞，额头上直冒冷汗。

华生忧心忡忡地看着他说：“我会照做的。”说完，就急匆匆地开门出去了。

华生在楼下叫马车的时候，一个人从雾中走了过来，关切地问道：“华生医生，福尔摩斯现在怎么样了？”

华生定睛一看，原来是老朋友莫顿警探，他是苏格兰场的一名警探。华生沮丧地摇了摇头，说：“福尔摩斯病得很厉害，脑子都不清楚了，我正要到伯克大街去请医生。”

“哦。”莫顿警探意味深长地点了点头。有一瞬间，华生以为他在警探脸上看到了满意的笑容。这实在是太奇怪了，莫顿警探难道是在**幸灾乐祸**？

华生摇了摇头，不愿多想。他坐上马车，很快来到了伯克大街 13 号。史密斯先生的管家进书房去通报，华生老远就听到里面传来暴躁的怒吼声：“我不是说过了吗，我做研究的时候谁也不见！让他明天早上再来！”

这应该就是史密斯先生了。没等管家出来回话，华生径直闯了进去。福尔摩斯还等着救命呢，他顾不了那么多了。

史密斯先生脸色发黄，满脸横肉，还有个肥大的双下巴，毛茸茸的褐色眉毛下方是一双阴沉的灰眼睛。他光秃秃的脑门上，长着稀疏的红色鬈发，上面还故作时髦地斜戴着一顶天鹅绒便帽。看见华生进来，他**怒不可遏**地站起来大声尖叫道：“出去！出去！谁让你进来的?！”

华生这才看清，原来他的那颗大脑袋下，是一副佝偻的

瘦小身躯。华生连忙道歉:“对不起,对不起,但福尔摩斯的病不能再耽搁了,他在贝克街等着你去救命呢!”

史密斯先生听到福尔摩斯的名字,脸色大变,连头上的帽子都**骨碌骨碌**滚到了地上。“福尔摩斯……病了?”

“是呀,病得很重!应该是染上了一种东方的疾病。”

史密斯先生脸上闪过一丝恶毒的微笑,华生忍不住揉了揉眼睛,这时那种表情却又消失了,取而代之的是听起来非常真诚的关怀:“天哪,那真是太不幸了。是……福尔摩斯让你来找我的?”说这话时,史密斯的表情似乎有些**古怪**。

“是呀,他说你懂很多特殊的知识,在这方面是专家呢。”

“哦?”史密斯头一歪,“他怎么知道自己染上的是东方疾病?他……会出现昏迷现象吗?”

华生叹了一口气,说:“唉,他在码头上和一些亚洲水手接触过,可能是被他们传染了。已经病了三天了,有时候会昏迷……他说,全伦敦恐怕只有你才能救他了!”

史密斯的眼睛骨碌碌地转了转,然后说道:“哦?是这样呀?福尔摩斯真是太抬举我了。嗯……这种救人的请求,我怎么好意思拒绝呢?华生医生,我这就和你一起去贝克街。”

华生正要答应,突然想起了福尔摩斯的**叮嘱**,连忙说:

“可惜，我还有点别的事情要办，不能和你一起过去了。”

史密斯先生点了点头，说：“好，那我半小时之后就到。”

华生离开史密斯家，急匆匆地拦下一辆马车，火速赶回福尔摩斯的公寓。福尔摩斯的脸色依然十分惨白，但看起来比刚才清醒多了。他一见华生就问：“史密斯过来了吗？”

“放心吧，他马上就来。”

“太好了，华生！你是这个世界上最好的**信使**！”福尔摩斯看起来十分高兴，他挣扎着坐起身，环顾了一下房间，然后指着自己床头后面的一块地方说，“华生，等他进来之后，就委屈你在这里躲一下了。”

“为什么我要躲起来？”华生感到十分困惑。就在这时，楼下响起了马车**咔嗒咔嗒**的声音，福尔摩斯着急地催促道：“快，快躲进去！不管发生什么事，你都别动，也别说话，只要听着就行了！”与此同时，外面传来了史密斯先生匆匆忙忙上楼的脚步声。华生顾不了太多，立刻猫腰藏在了福尔摩斯的床头后面。

脚步声一直响到了门口，接着是开门声和关门声。奇怪的是，接下来房间里**鸦雀无声**，只有福尔摩斯急促的喘气声。过了一会儿，史密斯突然迫切地喊道：“福尔摩斯！你能听见我说话吗，福尔摩斯？”他似乎正在摇晃着病人的肩膀。

“哦……”福尔摩斯的声音低沉而嘶哑，“史密斯先生，我还以为你不会来救我呢。”

史密斯先生笑了：“哈哈，怎么会呢，我可是个有良心的好人。我想，你应该知道自己得了什么病吧？”

“当然知道，和你的**侄子**维克托一样的病。”

“哦，我可怜的维克托！”史密斯先生的语气听不出一点遗憾，反而带着一丝嘲讽的笑意，“你之前不是一直在调查他的案子吗？真可惜，结果让你也染上病了……维克托是个**身强力壮**的小伙子，结果得病第四天就死了。而你，又能撑多久呢？”

福尔摩斯艰难地喘着粗气，说：“史密斯先生，你也知道这种传染病在伦敦非常罕见，维克托到底是怎么染上的？”

“我知道你一直怀疑是我干的。”史密斯突然爆发出一阵大笑，“哈哈哈，反正你也活不长了，我不妨告诉你，维克托就是我害死的！”

“噢，你终于**承认**了。”福尔摩斯叹了一口气说，“我嗓子干得快要冒烟了，史密斯先生，你能不能给我一口水喝？”

史密斯先生倒了一杯水，说：“给你，可别把它弄洒了。”

福尔摩斯呻吟一声，喝了口水，继续说道：“唉，过去的事就让它过去吧。现在，请你尽量帮我把病治好吧。我会把维克托的事情全都忘掉，从此以后**绝口不提**。”

“哈哈，可惜，你病得这么重，就算是我也救不了你了。”史密斯欢快地说，“对了，福尔摩斯，你不是一向都认为自己很聪明吗？你知不知道，自己到底是怎么染上这种病的？”

福尔摩斯痛苦地回答道：“我在……码头……”

“不对，不对！太好笑了，大名鼎鼎的福尔摩斯竟然这么愚蠢。让我来告诉你真相吧，是我让你染上这种病的，就和可怜的维克托一样！”

福尔摩斯的声音听起来大为震惊：“什……什么？你……你是怎么做到的？”

史密斯得意扬扬地回答：“你不记得了？你生病之前，是不是收到了一个**奇怪的包裹**？”

“包裹？包裹……”福尔摩斯喃喃地重复了几遍，最后苦恼地说，“我的脑袋烧坏啦，完全想不起来了。”

“那我帮你回忆一下，包裹里是个用象牙做的黑白两色的**小盒子**，非常精致。”

华生的心里咯噔一下，史密斯说的不就是壁炉上那个盒子吗？他之前碰了这东西，还惹得福尔摩斯大发雷霆。

福尔摩斯艰难地回忆道："盒子……没错，我打开了盒子，里面什么也没有，只是突然弹出一个**很尖的弹簧**，我还以为是哪个朋友在和我开玩笑呢。"

"哈哈哈哈！"史密斯大笑起来，"你的手指是不是被弹簧刺伤了？这种传染病就是通过**血液**传染的。我神不知鬼不觉地让你染上了病，传说中的福尔摩斯也不过如此嘛！"

他一眼看到，那个盒子现在就摆在床边的桌子上，于是更加得意了："太好了，我走时把这个东西揣进口袋，连最后的一点证据也不留下。福尔摩斯先生，在死之前，你还有什么心愿吗？"

"我……"福尔摩斯的声音微弱得几乎听不见了。

史密斯凑近了说："你说什么？哦，把煤气灯弄亮些？好啊。"他摆弄了一下煤气灯，昏暗的房间顿时变得明亮起来。"还有别的事吗？"

"麻烦你，把我的**烟斗**拿来，还有火柴。"

华生惊讶地瞪大了眼睛，因为福尔摩斯的声音突然变得响亮了，而且说话十分流畅自然，简直……就像完全没有生病一样。史密斯不说话了，房间里一片沉默。

过了好一会儿，史密斯才结结巴巴地问："这……这是怎么回事？你的病怎么……突然好了？"

福尔摩斯笑了笑，说："病得那么重，当然不可能突然好转，所以现在唯一的解释就是：我，根本没染病！刚才那副样子都是骗你的。"

"可……可是……"

"唉，为了装成病人，我已经三天没吃没喝了，还要多谢你帮我倒了一杯水。"华生听见刺啦一声，似乎是福尔摩斯划燃了火柴。呼——总算是吸上一口烟了。咦，史密斯先生，你听到门外的脚步声了吗？你猜，是谁来了？"

下一刻，房门被人打开了，进来的正是福尔摩斯的老朋友莫顿警探。

"莫顿警探，这位史密斯先生就是杀害维克托的凶手。"

"谢谢你了，福尔摩斯！"莫顿警探走上前，咔嗒一声给史密斯戴上了手铐，"我现在以谋杀侄子维克托的罪名逮捕你，你还有什么要说的吗？"

乒乒乓乓！屋里传来一阵打斗声，史密斯疯狂挣扎着，但最后还是被莫顿警探制服了。福尔摩斯从容地说："史密斯先生，我劝你还是别反抗了。你装在口袋里的这个小盒子，就是你试图谋杀我的证据。说来好笑，你拧亮煤气灯的举动，正是我事先和莫顿警探约好的**行动暗号**。在这一点上，我还要感谢你的帮忙呢。”

史密斯气得声音都发抖了：“圈……圈套！警探先生，他的那些话完全是胡编乱造！是他请我来给他治病的，现在又污蔑我是谋杀犯。我想他一定是发烧把脑子烧坏了……”史密斯深吸了一口气，慢慢冷静下来。“哼，要想指控我害死维克托，你有**证据**吗？这个盒子代表不了什么。”

“你刚刚亲口承认维克托是你害死的，现在又要改口不认账……你以为刚才那些话，真的没有**第三个人**知道吗？”福尔摩斯突然扭头看了看床头，说，“出来吧，华生。”

华生连忙站起身，从床头后面走了出来，说：“我都听到了，史密斯亲口承认是他害死了维克托。”

“你……你……”史密斯这回彻底呆住了，他一句话也说不出来，被莫顿警探带走了。

福尔摩斯整理了一下头发，又吃了些饼干，喝了一杯葡萄酒，整个人看起来精神多了。他笑着望向华生：“你该不会怪我骗你吧，医生？为了让史密斯相信我真的快病死了，这实在是没办法的事。”

相比起福尔摩斯欺骗了他这件事，华生现在更好奇的是另一件事："福尔摩斯，你怎么能装病装得那么像呢？"

"我的脸上当然是**化过妆**的，往颧骨上涂点口红，嘴唇上涂点蜡，眼睛里滴点药水……至于浑身颤抖、满嘴胡话的样子，那就更是小菜一碟了。"

华生还是很纳闷："可是，既然你没得传染病，为什么不让我靠近你呢？"

"华生，你以为我真看不起你的医术吗？"福尔摩斯轻松地说，"只要你凑近一点，摸摸我的体温和脉搏，就知道我并没有发烧。我当然是怕被你**拆穿**才不让你靠近的。不过，真正让我害怕的，是你居然去摸那个盒子。我早就知道盒子里有什么了，所以才那样激动地阻止你，华生，你一定不会怪我吧？"

华生摇了摇头，说："当然不会，你也是为了保护我。"

"那就好，"福尔摩斯从椅子上站起来，说道，"等我去警察局做完笔录，我们就一起去餐厅吃点儿好吃的吧。"

爬行人之谜

德高望重的普雷斯教授爱上了一个年轻的姑娘。前段时间，教授突然离家出走了，回家之后，他就像变了个人一样，总是鬼鬼祟祟的，脾气暴躁，跟身边的亲人都疏远了。而且，家里养的狼狗居然还咬了他。教授的亲人不知所措，只好来求助大名鼎鼎的福尔摩斯……

1903 年 9 月的一天，华生收到福尔摩斯一张无厘头的纸条：“如果有时间请立即前来——如果没时间也得来。”

他们俩已经认识二十多年了。对福尔摩斯来说，华生已经成为他生活中的一部分，就像是一直陪伴他的**小提琴**、**老烟斗**一样。有时，华生又觉得自己像老朋友那精密大脑的磨刀石，福尔摩斯面对着他，似乎更能迸发出灵感。

当华生赶到贝克街 221B 的公寓时，福尔摩斯正蜷缩在沙发上发呆，两个膝盖高高地拱着，眉头紧锁，嘴里**自言自语**道：“教授为什么会被自己的狗咬了呢？”

华生一听这话，就有点不高兴了：“福尔摩斯，你就为这点事把我叫来呀？你知道我的工作很忙……”

“不不不……”福尔摩斯眯着眼睛说，“最重大的问题，往往隐藏在最琐碎的小事中。”

就在这时，楼下传来**叮零叮零**的门铃声。很快，一阵急促的脚步声在楼梯上响起。不一会儿，一个身材修长、容貌俊秀的年轻人急匆匆地走了进来："福尔摩斯先生，教授又出**新状况**了！"年轻人穿着考究，身上有一股学者的气质，但此刻的表情显得慌乱不已。

"别紧张，你慢慢说。"福尔摩斯安抚地握了握他的手，转头对华生说，"对了华生，这位是贝内特先生，他是著名的普雷斯教授的助教，也是教授女儿的未婚夫。"接着他又转向贝内特说："先生，这位是我的助手华生医生。"

华生好奇地问道："到底发生了什么？"

"好，就让我先说说之前的情况吧。"福尔摩斯挺直身体，

清了清嗓子，开始他的讲述：

“普雷斯教授是一位**德高望重**的学者，今年六十一岁了。他平时洁身自好，专注于学问，没有任何绯闻。他的妻子去世了，他只有一个女儿。他的性格嘛，大家都说他刚强、果断，也可以说有点好斗。

“几个月前，发生了一件令人震惊的事情。普雷斯教授爱上了一个年轻姑娘，是他同事的女儿。两人在今年订婚了。说起来，他们俩算是门当户对，无论是身份、财产还是学识都很相配，两人之间唯一的阻碍就是**年龄**，毕竟年龄相差很大，所以这门婚事遭到了教授家人的反对。

“这还不算。前阵子，教授突然离家出走了，两个星期后才**疲惫不堪**地回来。至于他到底去了哪里，教授连一个字都不肯透露。”

贝内特听到这里，激动得脸色发红：“这太离谱了！还是我同学给我寄了一封信，说他在布拉格城见到了教授，我们才知道教授原来是去了那里。”贝内特说着，沮丧地低下了头：“教授平时都很坦率，也非常信任我，但这一次……”

福尔摩斯接过话：“关键的部分到了。他回来以后，像是**变了一个人**。虽然还是聪明睿智、才华横溢，但经常鬼鬼祟祟的，性情也变得很古怪。以前，他跟女儿很亲近，但自从那次回来以后，就再也不愿意跟女儿谈心了，对贝内特先生也不冷不热。对了，贝内特先生，请你讲讲有关信件的事情吧。”

小伙子点点头，说：“好的。我平时就住在教授家里，他一直非常信任我。他所有的**信件**都是由我经手的，收到的来信由我拆开，进行分类后再拿给他看。他要寄出去的信也由我送到邮局。但他从布拉格回来后，就不一样了。他特意叮嘱我，如果看到从伦敦寄来的信，邮票下面**画有十字**的，这些信我都不能动，他要自己来拆开。他给那个神秘的寄信人的回信，也没让我去寄。后来，我确实看到了画着十字的信，信封上字迹潦草，不像是有文化的人写的。”

“还有小盒子。”福尔摩斯提醒道。

“对，教授旅行回来后，带回来一个精致的**小木盒**。我是有一天在柜子里找东西的时候，无意间发现这个盒子的，就顺手拿了起来。没想到，教授看到后就像疯了似的大发雷霆，让我立刻放下盒子。”说着，贝内特从口袋里掏出一本日记本，补充道：“这件事发生在 7 月 2 日。”

“你真是一个完美的见证人！你记的日期会很有用的。”

福尔摩斯高兴地拍手称赞道。

“嗯，我有记日记的习惯，”贝内特翻开日记本说，“就在7月2日这天，家里养的狼狗罗伊莫名其妙地咬了教授。罗伊一直都很乖，从来不乱咬人，更别提咬自己的主人了！可是，7月11日，罗伊又咬了教授。哦，7月20日也是。没办法，我们只好把罗伊关到马厩里去了。”

“家养的狗突然开始咬自己的主人，而且只咬教授一个人……”福尔摩斯**喃喃自语**，“这真是奇怪。对了，贝内特先生，你进来的时候说，又有新情况了吗？”

贝内特的脸立刻变得更加阴沉，从多云变成了雷雨前的乌云：“是这样的，就在前天晚上……”

“日期是？”

“是9月4日。大约凌晨两点，我醒了，突然听见走廊上传来一种**沉闷的响声**。我有点好奇，就从床上爬起来，打开房门往外张望。当时，走廊很黑，只有走廊中间的窗户透进来一丝亮光。在黑暗中，我突然看见有个黑乎乎的东西正从走廊的另一头爬过来，就是那个东西发出了沉闷的响声！慢慢地，那个东西爬到了走廊中间有亮光的地方。我看清了，天哪，竟然是教授！他不是用手和膝盖着地，而是用手和脚着地，就像动物那样**爬行**。对了，教授的房间在走廊的另一头，他应该就是从那间房爬过来的。当时的场景实在太恐怖了，我吓得一动不动。等他爬到我门口时，我才大着胆子走上前去，问他要不要帮忙。没想到，他像猛虎似的一跃而起，骂骂咧咧地从我面前走过，然后下楼出门了，直到天亮才回来。”

“华生，你怎么看？”

“可能是腰痛，我有个患腰痛的病人就是这么走路的。”

福尔摩斯被华生的回答逗笑了，说道：“但是他能一跃而起，看来身体没有问题。”

“他的身体**棒极了**。”贝内特补充道。

门突然吱呀一声被推开了，一位漂亮姑娘走了进来。贝内特见到她，立刻从椅子上弹了起来，过去紧紧握住她的手，说：“伊迪丝，亲爱的！你没事吧？”

“我……我不敢一个人待在家里了，贝内特，我很害怕！”姑娘声音颤抖地说。贝内特拍了拍她的手背，转头对福尔摩斯说：“这是伊迪丝，普雷斯教授的女儿、我的未婚妻。”

福尔摩斯很有礼貌地跟她打了个招呼，说：“你好，伊迪丝小姐。你父亲……又出新状况了吗？”

“是的……福尔摩斯先生，我父亲……情况更糟糕了！昨天一整天他都很**古怪**，像在梦游一样。他好像不记得自己做过了什么。唉，他最近完全变了一个人。虽然从外表上看还是老样子，但内里已经不是原来的他了……”

“那么，昨天到底发生了什么呢？”

“是这样的，”伊迪丝小姐深吸一口气，像是在平复自己的心情，“昨天晚上我被狗叫声吵醒了，躺在床上怎么也睡不着，就看着窗外的月亮发呆。突然间，月亮被一个**黑影**挡住了，我定睛一看，竟然是我父亲的脸！我父亲出现在我的窗户外面。天哪，我的房间可是在楼上啊！窗户下面空荡荡的，他是怎么爬上来的？当时，他的脸贴在玻璃上，一只手举起来，好像要开窗户。我躺在床上吓瘫了，连一根手指都动不了。大约过了二十秒，他突然消失不见了。我想爬起来看看他去了哪里，但还是浑身发软，根本下不了地，只能睁着眼睛躺在床上，一身冷汗地熬到了天亮。早餐的时候，他的态度很粗暴，但没提夜里发生的事情。这太可怕了！我不敢再跟他待在一起了，赶紧找了个理由出来了。”

听了伊迪丝的描述，福尔摩斯一向平静的脸庞显露出惊讶的神色：“什么？你说你的房间在楼上，教授怎么会出现在**窗子外面**呢？你家院子里有梯子吗？”

“没有。一般人根本够不着窗户，所以我才觉得可怕。”

“昨天的话……那么就是 9 月 5 日。”福尔摩斯若有所思地摸着下巴。

贝内特好奇地问道：“先生，你为什么那么在意**日期**，难道教授的精神失常跟日期有关系吗？”

“不一定，但我觉得日期很重要。刚刚伊迪丝小姐说，教授有时候不记得自己干过什么事情。要不这样，我们明天去见见他，假装是他约我们去的。或许他会以为是自己记不清了呢？这样我们就有机会近距离观察他。”

“那最好不过了。明天是周一，他中午在家，”贝内特说，“不过，教授可能**脾气**会很大，你们要有心理准备。”

第二天，福尔摩斯和华生乘着马车来到剑桥-牛津大学城，教授家就在大学城里。

马车在一栋迷人的房子前停了下来。一个花白的脑袋从

一扇窗户里探了出来，一双锐利的眼睛隔着玳瑁眼镜，威严地打量着福尔摩斯和华生。两人进门正式见到教授后，不免暗暗吃惊，因为教授看起来**很正常**，甚至可以说很庄重、很睿智。他身材高大，五官端正，穿着得体的礼服，虽然头发花白，但眼神犀利而敏锐。

福尔摩斯礼貌地递上一张自己的名片，教授低头看了一眼，说："请坐，先生们，不知找我有什么事情呢？"

"教授，这正是我想问您的问题。"

"问我？"教授挑了挑眉说。

"怎么，您不知道吗？哎呀，这里面可能有一些误会。昨天我听别人说，普雷斯教授要见我，我就赶紧来拜访您了。"

"是谁说的？"教授微微眯起了眼睛，**面露愠色**。

福尔摩斯和气地微笑着说："对不起，这得保密。"

"哼，保密……我要看看我到底有没有叫你来！"教授黑着脸，腾地站了起来，狠狠地按铃，大声叫着贝内特的名字。

"贝内特，你给我进来！平时都是你处理我的信，有没有帮我给福尔摩斯寄过信？”他恶狠狠地盯着贝内特说。

“没有，先生。”贝内特脸一红。

“这就清楚了，”教授瞪着福尔摩斯，眼睛里好像冒着愤怒的火焰，“你到底是来干什么的？”

“对不起，先生，既然您没有叫我们来，那我们现在就离开。”福尔摩斯起身拉着华生打算离开。

“想走？没那么容易！”教授暴跳如雷，大声嚷嚷着冲到门口，挥舞着双手，拦住他们俩，“你们到底是来干什么的？快给我说清楚！”

“教授！”贝内特见状赶紧拉住他，说道，“您还是得注意点形象，不能对客人这么粗暴。传出去就不好了，是吧？”

教授虽然脾气火暴，但脑子还是清醒的。他听到助手的话，气呼呼地侧过身子，让出了一条可以通行的路。福尔摩斯和华生快步走出屋子，沿着马路往前走。

“还好出来了。”华生如释重负，长吁了一口气。后面传来噔噔噔的脚步声，原来是贝内特追了出来，他说：“先生们，真是太对不起了。”

福尔摩斯一边整理被教授拉扯得变形的衣袖，一边说：“没关系，这些事不算什么，我们总算是见过教授了，还是有收获的。看来他的精神确实有点毛病，不过记忆力比我想象的好多了。对了，在我们走之前，能不能去看一下伊迪丝小姐房间的**窗户**？”

“没问题，跟我来。”

贝内特拨开灌木丛走了一段路，教授房子的侧面出现在了他们眼前。贝内特用手一指，说：“那就是伊迪丝的窗户。”

“这么高呀！你们瞧，窗户下面有藤条和水管，可以爬上去。”

“这难度也太大了吧！连我都爬不上去。”贝内特摇摇头说，“恐怕只有猴子才能做到。”

福尔摩斯喃喃道：“嗯，确实太难了，也太危险了。”

“对了，我还有件事情要告诉你，”贝内特突然压低声音，从口袋里掏出一张纸条说，“今天早上，教授给那个**神秘人**写了信，我在草稿纸上发现了那个人的地址。”

“干得漂亮。”福尔摩斯快速扫了一眼纸条，然后把它放进口袋里，说道，“嗯，收信人名叫多拉克，这个名字好奇怪，感觉不像是英国人。”

“那我现在应该怎么办？”贝内特搓着手，**不知所措**地问道。

“耐心一点，事情马上会有进展的。如果我没算错的话，下周二可能是个**危险的日子**，到时候我们再过来看看。这段时间就让伊迪丝小姐留在伦敦。你在跟教授相处的时候就顺着他，不要跟他顶嘴或者刺激他。”

“好，那我下周二之前联系你们。”贝内特紧紧地握了握福尔摩斯的手。

“华生，过一会儿提醒我去邮局发一封电报。”

“没问题。”

当天晚上，福尔摩斯发的电报就有了回电。原来，他拜托一位朋友去了那个神秘人的通信地址，朋友回电告诉他：

我按照你电报上的地址去了一趟，见到了多拉克，他是一个上了年纪的波希米亚人，和蔼可亲，经营一家大杂货店。

福尔摩斯大声读完电报的内容，对华生说道：“波希米亚人……华生，你还记得教授之前旅行的地方吗？是布拉格，布拉格就属于波希米亚地区。你看，教授的神秘信件和教授的布拉格之行是有联系的！”

“谢天谢地，事情总算联系起来了。”华生忍不住扬起嘴角，挠了挠脑袋说，“可是，狼狗咬人、教授的布拉格之旅、教授半夜爬行……这些奇奇怪怪的事情，到底有什么关联呢?”

“别着急，华生，不如我们先来研究一下日期吧。根据贝内特的记录，从 7 月 2 日开始，之后大概**每九天**就会有怪事发生，比如 7 月 2 日、11 日，以及 20 日的狼狗咬人事件，还有几天前发现的教授在夜里爬行，都是以九天为一个周期。我们不妨假设一下，教授每九天会服用一种**烈性药物**。这种药的药效很短，毒性却很大，这让他的脾气更加火暴。”

福尔摩斯微微一笑，像是在讲课一样挥着手说：“至于布拉格之旅，教授就是在布拉格学会使用这种药物的，所以他回来之后，人就变了。而给他提供药物的，正是布拉格的那个杂货店老板。总算有头绪了。等到下周二吧，到时候事情应该会有新进展！”

在接下来的一周里，贝内特都跟福尔摩斯保持着联系。据他所说，教授的脾气更加火暴了，但身体越来越好了，而且精力比以前更加充沛，思维比以前更加敏捷。周一晚上，福尔摩斯和华生如约赶到了剑桥-牛津大学城，找了家旅馆住下。贝内特跑过来向他们汇报：“教授又收到了一封来自伦敦的**信**，还有一个小包裹，上面都画着十字。”

“很好，我想我猜对了。”福尔摩斯满意地说，“今天晚上，事情就会水落石出。这样，你今晚不要睡觉，如果教授经过你的门口，你就悄悄跟着他，华生和我会藏在附近。对了，教授从布拉格带回来的小盒子是锁着的吧？钥匙在哪里呢？”

“挂在他的表链上呢。”

“我知道了。”福尔摩斯点点头，又提醒道，“记住，你跟踪教授的时候，千万不要被他发现！”

凌晨时分，气温骤降。福尔摩斯和华生蹲在院子的树丛里，裹紧身上的衣服，不时对着手哈气取暖。阵阵风儿吹来，云朵在空中飘过，不时遮住半圆的月亮。

“如果真的是以九天为一个周期的话，那么今晚教授一定会**出状况**。”福尔摩斯跺了跺发麻的脚，认真地分析着，“他收到的信和包裹一定有问题！华生，你有没有注意到他的手指？”

“没有。”华生不好意思地回答道。

“上次见他的时候，我发现他的手指又粗又大，上面还有厚厚的老茧。一般来说，教书的人，手不会长成这样，除非……他**经常攀爬**……”福尔摩斯突然喜出望外地一拍自己的脑门，说，“哎呀，我好像知道了！咦？那不是教授吗，华生你快看，他来了！”

房子的大门缓缓打开，在灯光的照射下，一个人影从黑暗中走出来，正是教授。只见他身穿睡衣站在门口，两只胳膊像无处安放似的耷拉着。他走出大门，还没走几步路，突然弯下身，两手着地爬了起来，还不时像是精力过剩一样跳跃一下。这时，贝内特猫着腰偷偷溜出了房门。

“华生，快来。”福尔摩斯小声呼唤，两人**蹑手蹑脚**地跟着教授，来到了房子的另一侧。

皎洁的月光下，普雷斯教授的身影清晰可见，他在长满常春藤的墙角下趴着，突然像是被压紧了的弹簧一样猛地弹了起来，牢牢抓住墙上的藤蔓，从一根爬到另一根，他抓得稳固而轻松，像是在玩游戏。他的睡衣不知道什么时候敞开了，在晚风中呼呼作响，飘动的宽大衣袖像是长出来的翅膀，让教授看起来像是一只趴在墙上的**大蝙蝠**。

过了一会儿，教授好像玩累了，刺溜一下，从藤蔓上滑了下来，四肢着地，向马厩爬去。关在马厩里的狼狗罗伊已经被吵醒了，冲到马厩门口疯狂地叫着，拴着它的锁链被拉得哐当作响。

教授非但没有被吓跑，反而玩起了**恶作剧**。他故意趴在狼狗够不着的地方，抓起石头就朝它头上扔，还捡起地上的棍子去打狼狗。过了一会儿，他又伸手在狼狗的面前晃来

晃去。显然，他在**挑衅**罗伊！罗伊的脖子被锁链拴住了，它只能跳起前脚，狂吠不止。

突然，令人意想不到的事情发生了！套在罗伊脖子上的项圈因为太大，滑了出去。狼狗一下没有了束缚，像一道闪电似的扑向了教授。一时间，锁链落地的声音、狼狗的狂吠声、人的尖叫声混成一首不和谐的狂想曲。狼狗狠狠地扑倒了教授，人和狗在地上滚成一团。

“停下！”福尔摩斯和华生赶紧冲了上去。这时，狼狗正死死咬着教授的喉咙。它见到陌生人，从喉咙里发出一声威胁的犬吠。

“罗伊，坐下！”贝内特气喘吁吁地赶到，阻止了事态变得更加严重。听到主人的吆喝，罗伊恢复了理智，发出呜呜呜的叫声，松开嘴，舔舔牙齿，乖乖地放开了教授。

贝内特连忙把罗伊重新拴了起来，又跟华生一起**抢救**教授。他也有医学学位。

半小时后，教授总算脱离了生命危险。华生给教授打了麻醉针。大家看着教授陷入沉睡，这才松了一口气。

福尔摩斯冷静地说：“为了防止这种事情再次发生，我们应该解开教授身上的**谜团**。贝内特，你找找教授身上的钥匙，我们看看他的神秘**小木盒**里到底有什么。”

咔嚓一声，锁轻轻地被扭开了。福尔摩斯打开盒子，小心翼翼地将里面的东西拿了出来。

盒子里的东西并不多，只有一个装满液体的瓶子、一个空瓶子、一个用来注射的针管，以及**几封信**。

“信上都画着十字。”贝内特仔细地端详着那几封信说，“这些就是教授不让我拆的信了，让我看看里面有什么。哎呀，都是发货的清单，看地址是从伦敦那个波希米亚老板的杂货店寄来的。咦，这里还有一封信，上面的邮票是布拉格的！”

“给我看看。”福尔摩斯急切地接过信，大声地念了出来：

教授你好：

瓶子里的药是黑面猿猴的血清。黑面猿猴是爬行和攀爬类动物，比较接近人类，治疗能产生较好的效果，但是使用前，一定要慎重考虑，因为我无法保证药的安全性。如果你确定需要使用，请每九天使用一次，后续我会让伦敦的多拉克先生把药寄给你。

洛温

“洛温？我知道他！”华生忍不住惊呼道，“布拉格的科学家洛温，我在报纸上看到过有关他的报道，据说他在研究一种能让人返老还童、长生不老的药，不过被医学界禁用了。”

“黑面猿猴……我知道教授为什么那么喜欢爬行了……”贝内特一副恍然大悟的样子，“谢谢你，福尔摩斯先生，多亏了你，这下我们找到根源了。”

“使用猿猴的血清不是根源，去布拉格旅行也不是根源，”福尔摩斯摇摇头说，“实际上，那场恋爱才是教授变化的根源。教授希望能配得上他年轻貌美的未婚妻，就想着让自己也变年轻。教授注射了猿猴的血清，身上的气味发生了变化。难怪狼狗罗伊会咬教授，它咬的不是自己的主人，而是猿猴。而教授逗狗、爬行、攀爬藤蔓，这些都是猿猴的本能。这也就不难解释，为什么伊迪丝小姐会看到父亲出现在高高的窗台外面。”

福尔摩斯凝视着小瓶子里的透明液体，说：“这种药实在是太荒唐了。教授为了变得年轻，真是无所不用其极啊！他早晚会被这药给害死！我会写信给洛温，销毁这些药品，绝对不能再让这样的药品害人了。”

最后的致意

这个故事发生的时候，福尔摩斯和华生已经相识三十多年了。德国间谍波克站在自家别墅里，等待着一份重要情报。他在英国已经潜伏了很多年，只要拿到这份情报，就可以功成身退了。可他怎么也想不到，他的命运将会在今晚发生重大转折……

炎热的 8 月，太阳早已落山，但仍留下一抹血红色的云霞，像天空裂开的伤口。在英国某个僻静的悬崖边，孤零零地矗立着一座花园别墅。两个德国人站在别墅外的栏杆旁抽烟，眺望着海面上闪耀的星光。他们手里的烟头发出红光，从远处看去，就像是恶魔的两只眼睛，在黑暗中窥视着，幽幽地冒着烟。

这两人中的一个是这座别墅的主人，名叫波克。他的真实身份是**德国间谍**，已经在英国潜伏很多年了。他像一只游荡的山鹰一样，栖息在这凶险的悬崖之上。站在他旁边的那位是个男爵，任职德国驻英国大使馆的一等秘书。波克看了看时间，说："男爵，您一定要今晚回伦敦吗？"

男爵点了点头，说："接我的车很快就来，请原谅我不能继续停留了。"

波克叹了一口气，说："好吧，很快就会有人送来一份非常重要的**情报**，我本来还指望您亲眼见证一下呢。”

男爵拍了拍他的肩膀，说：“我们都知道，你是我们国家最优秀的**特工**，很快你就要完成任务回国去了。呵呵，想象一下吧，你将会得到怎样的奖赏，受到怎样的欢迎。”

波克嘴角露出一丝笑意，说：“说实话，这份工作其实也没那么难。那些英国人对我一点儿防备心都没有，在上流人士的宴会上，他们的政府大臣什么都敢往外说。重要情报我随随便便就搜集到了。”

波克的脸上洋溢着得意之情，男爵也忍不住跟着笑了起来，说：“这还要归功于你的隐藏身份呀，波克。隐居乡村的德国绅士，爱好体育，擅长打猎、拳击、打马球，天不怕地不怕。那些英国人怎么能想到，你是全德国，不，是全欧洲最机智的特工。波克，你可真是个天才哪！”

“过奖了，男爵。对了，我还没有给您看过我的情报储藏室呢。您离开之前，愿意赏脸去看一眼吗？”

男爵被他勾起了兴致，说：“那就麻烦你带路了。”

波克把男爵领进书房，谨慎地关好门，拉上厚厚的窗帘。**啪的一声**，电灯的开关开了，灯光照亮了四面的书架。波克光秃秃的大脑袋在灯光下更加闪亮，一张晒得黝黑的脸上，两只眼睛像老鹰一样幽幽地发光。他神秘地走到房间的一个角落里，哗啦一下拉开了挂在那里的一道帘子，一个黄铜造的巨大**保险柜**赫然出现在两人眼前。他小心翼翼地从表链上取下一把钥匙，对着锁上的密码盘摆弄了一番，保险柜的柜门咔嗒一声打开了。

“男爵您看，这些都是我搜集到的机密文件。不太重要的文件，我已经让我的家人先带回国了，剩下的这些都非常重要，我会在回国时随身带走。”

男爵弯下腰，**聚精会神**地盯着保险柜。这些文件都贴好了标签，分类放在不同的格子里，有关于飞机的、港口的，还有军事要塞的……“了不起！了不起！”男爵拍着肥胖

的手，赞叹道。

波克指着其中的一个格子，兴奋地说：“您看，这里是存放‘**海军信号**’的地方，刚才我说今晚会有一份重要情报送来，说的就是它。”

“可是，这个格子里不是已经装了一份文件吗？”

波克摇了摇头，说：“这份文件已经没用了。英国海军部似乎察觉到了什么，把他们所有的密码都换了，这份文件现在就是废纸一张。幸好还有阿尔塔蒙。哦，阿尔塔蒙就是把情报卖给我的家伙，他今晚会送来最新的‘海军信号’情报。”

男爵看了看表，失望地发出一声叹息：“太遗憾了，我今晚必须回伦敦去。阿尔塔蒙有说几点到吗？”

波克摇了摇头，拿出一封电报给男爵看，上面是一行奇怪的文字：

“火花塞是什么？”男爵问道。

波克眉飞色舞地说：“那是我跟他约好的暗号。他的假身份是汽车专家，而我呢，刚好开了一家修车行，所以我们的暗号全都用**汽车零件**来表示。散热器表示战列舰，油泵表示巡洋舰，火花塞呢，就是‘海军信号’。”

“哈哈，真是不错的暗号！”男爵赞叹道，“你付他多少钱？”

波克伸出五根手指头，说：“五百英镑。说实话，跟阿尔塔蒙做交易真是方便，只要给够钱，他就什么情报都愿意卖。”

“哼！”男爵的脸上流露出一丝**鄙夷**的神情，“为了钱，他连自己的国家都可以出卖，这个阿尔塔蒙只是一个无耻的卖国贼罢了。”

然而，波克却摇了摇头说：“其实，他并不是什么卖国贼，因为他根本就不是英国人，而是有爱尔兰血统的美国人。他非常讨厌英国。”

“原来如此，是我**误会**他了。”男爵说着，又看了看表。接他的车已经来了，就停在不远的地方，车头的灯像两道金色的光柱，穿透黑暗。“我真的该走了，波克先生。”

波克遗憾地说：“真可惜，男爵，我是多么想把阿尔塔蒙介绍给您认识呀！”

“以后会有机会的。”男爵披上大衣，笑着和波克握了握手说，“等你带着所有情报回国，我们就有把握向英国开战了。咦？是谁在那里？”男爵惊讶地看着别墅的一扇窗户，窗户那边的屋里刚刚亮了灯，一个面色红润的**老妇人**正坐在

灯光下，弯腰织着毛衣，不时停下来抚摸身边的大黑猫。

波克回头看了一眼，说：“哦，那是我的仆人玛莎。放心吧，她年纪大了，老眼昏花，什么也不知道。”

男爵点了点头，拉开车门坐了进去，说：“再见了，波克先生。”

汽车呜的一声开走了，波克慢悠悠地走回书房。他要为回国做准备，把书房里的东西好好整理一下，该烧的烧掉，该带走的装进行李箱。烧文件的火光把他那张还算英俊的脸烤得通红。突然，门外又传来了汽车的声音。他连忙把还没处理好的文件都放回保险柜里锁好，急匆匆走到门外，心想：“一定是阿尔塔蒙来了！”

果然，从小汽车里走出来的，正是他期待已久的阿尔塔蒙。这个美国人六十多岁，又高又瘦，棱角分明的脸上留着一小撮山羊胡子。

“你终于来了！东西带来了吗？”波克急切地问道。

阿尔塔蒙**得意扬扬**地挥了挥手中的一个黄纸包，说：“当然带来了。”

“太好了！快进屋说话吧。”波克把阿尔塔蒙领进了书房。在进门之前，波克注意到阿尔塔蒙的**司机**还坐在车里。这个司机看上去年纪也不小了，脸上长着灰白色的胡子。

阿尔塔蒙在椅子上坐下，拿出火柴，点燃了一根雪茄。他转着脑袋，大大方方地打量着这间书房，说：“嗯，行李箱……你打算搬走啦？”

“是呀。”波克点了点头说。阿尔塔蒙又看向房间角落，挑起眉毛，问道：“这就是你放文件的保险柜？看着太不安全了，早知道你的安保措施这么差，我一定不和你做交易。”

波克走过去，拍了拍保险柜，脸上一副不服气的表情。“你可别小瞧这东西！制作这个保险柜的金属非常结实，无论你用什么工具都锯不断。而且，它上面有**双层密码锁**呢！”

“密码锁？”阿尔塔蒙有些好奇地问。波克用手拨弄着保险柜上的密码盘，得意地说：“看到这两个转盘了吧，这是我请专人定做的。外面这层的密码是字母，里面这层的密码是数字。”

阿尔塔蒙惊奇地看着保险柜，问：“这么厉害？”“那是当然了！我敢说，绝对没人能猜出我的密码。”波克笑了笑说，“外面这层的密码是英语单词 AUGUST，里面这层的密码是四个数字——1914。”

“咦，这么重要的东西，你怎么随便就告诉我了？”波克无所谓地耸了耸肩，说：“你是我的**同伙**，我当然信任你了。而且，反正我明天一早就要离开英国了，这些密码也没用了。”

阿尔塔蒙两手一摊，不高兴地说：“你真的要走啦？你一走了之，把我一个人丢在英国，也太不够意思了吧？万一警察把我抓走怎么办？”

波克说：“你是美国人，他们不会拿你怎么样的。”

“那可不一定！”阿尔塔蒙叹了一口气说，“英国警察要抓我，才不管我是不是美国人呢。你之前那个手下詹姆斯也是美国人，现在还不是一样被关在英国的**大牢**里？”

波克不耐烦地挥了挥手，说：“那都怪詹姆斯自己不争气！”

阿尔塔蒙转了转眼珠，说："对了，波克，说到詹姆斯，你的另一个手下昨晚也被抓了，你知道吗？"

"什么？是谁?!"波克大惊失色。

"斯泰纳。"阿尔塔蒙有些烦躁不安地说，"警察还到我房东那里调查了我。说起来，斯泰纳已经是你被抓的第五个手下了，我再不跑，第六个可就是我了！"

"怎么会这样……"波克瘫坐在椅子上，好一会儿才回过神来说，"那好吧，我让人安排一艘船，把你安全送回纽约。现在，你该把情报给我了吧？我把它一起装进行李箱里。"

然而，阿尔塔蒙把纸包紧紧抓在手里，并没有要交出去的意思。"一手交钱，一手交货。波克，我的五百英镑呢？"阿尔塔蒙说。

"你也太不相信我了，难道我会赖账吗？"波克苦笑着摇了摇头，拿出一张五百英镑的支票，放在桌子上说，"你的钱就在这里，但在付钱之前，你也应该让我验验货吧？"

阿尔塔蒙这才把纸包递了过去。波克接过来，小心翼翼地解开绳子，拆开了外面的包装。他看着里面的东西，像块木头一样被钉在了原地："这……这不是……"

出现在他眼前的，根本不是什么"海军情报"，而是一本蓝色的书，封皮上印着几个金色的大字：《**养蜂实用手册**》。波克立刻意识到情况不妙，然而，他还没来得及站起来，嘴巴就被一块布死死捂住了。他闻到一股刺鼻的安眠药的味道，然后眼前一黑，晕了过去。

“来，华生，再干一杯！”福尔摩斯举起一瓶在波克家找到的酒，高兴地和华生碰杯。

“福尔摩斯，你这个主意太棒了！波克怎么也想不到，和他交易的阿尔塔蒙居然就是传说中的大侦探福尔摩斯啊。”说话的不是别人，正是阿尔塔蒙的**司机**。原来，他就是华生。而这个阿尔塔蒙，当然就是大侦探福尔摩斯啦。只不过，他们俩现在都已经六十多岁了，距离最初认识的时候，已经过去三十多年了。

福尔摩斯笑了笑，说：“这酒真不错，肯定是从皇家特制的酒窖里拿来的。华生，麻烦你打开窗户，散散安眠药的味道，这么好的酒可不是用来搭配它的。”

华生打开窗户，两人**谈笑风生**：“干杯！”

福尔摩斯拿着酒瓶走到保险柜前，柜门早已被他打开了：“嗯，该开始干活了！”他把里面所有的文件都取了出来，

逐一查看之后，装进了波克的行李箱。而波克呢？他已经被捆成了粽子，一动不动地躺在沙发上，还在呼呼大睡呢。

福尔摩斯扭头对华生说："麻烦你按一下铃，把玛莎叫过来吧。别那么惊讶，她其实是我安插在波克这里的**眼线**。"

华生按下铃，很快，男爵之前看见的那个老妇人出现了。她看见福尔摩斯，高兴地说："福尔摩斯先生，您总算来了。"她有些紧张地看了一眼沙发上的波克，问："他……他没什么大碍吧？"

"放心吧，玛莎，他只是暂时睡着了而已。"

玛莎松了一口气，说："那就好。这位波克先生其实也算是个好主人，昨天还劝我和他太太一起逃去德国。我当然不能答应，因为我还得留在这里接应你们呢。"

福尔摩斯微笑着说："多亏你用灯光给我们**报信**，我们才知道男爵已经走了。玛莎，明天你就可以回伦敦去了，其他的事情，到了伦敦再跟我汇报吧。"

"好的，两位先生，晚安。"玛莎行了个礼，转身离开了。

福尔摩斯拍了拍装满文件的行李箱，说："其实，这些文件也没什么用了，大部分情报肯定早就被传到德国去了。"

华生吃惊地瞪大了眼睛，问："那岂不是对英国很不利？"

“也不能这么说。”福尔摩斯神秘地眨了眨眼说，“他的许多情报都是从我这里买走的，你觉得我卖给他的，会是什么真消息吗？想象一下吧，一艘德国战舰依靠我的情报在海上航行，结果却发现，那片海域里到处都是**水雷**……”

华生忍不住大笑起来：“哈哈，真有你的，福尔摩斯！你还是和年轻时一样聪明啊。什么都没变，除了这两撇山羊胡子……”

“那只是我扮成阿尔塔蒙的**伪装**罢了。”福尔摩斯说着，把手搭在了华生的肩膀上，“你看起来也和当年没什么不同啊，华生。”

“那是因为我心情好啊。看到你发来电报，让我跟你一起去冒险，知道我有多激动吗？我有多久没跟你一起去查案了！”华生拍了拍自己的胸脯说，“我现在感觉自己年轻了二十岁！对了，福尔摩斯，我听说你退休了，一直隐居在南方的一个农场里，整天除了读书就是养蜜蜂，怎么……”

“哈哈，给你看看我养蜜蜂的成果。”福尔摩斯从桌上拿起一本书，也就是他刚才递给波克的那本《养蜂实用手册》，说，“这本书可是我日夜操劳、费尽心血写出来的。”

华生的脸上露出了惊叹的表情，他的这位朋友，就是有一股潜心钻研的劲头，所以做什么都能成为专家。

“先不说蜜蜂了。这回你怎么又出山当起侦探来了？”

“说来话长啊，华生。”福尔摩斯耸了耸肩说，“我本来也不想重操旧业，但是，英国的外交大臣和首相轮番跑到我那小小的农场，实在是很难拒绝。唉，其实这工作不好干哪！为了打入德国间谍内部，我伪造身份，制造机会让他们信任我，光是这些准备工作，就花了我整整两年时间！不过，你也看到了，我还是干成了不少好事。比如说吧，波克先生那五个手下，都是托我的福才进了大牢。哎呀，波克先生，您醒啦？”波克听到了最后几句话，脸庞扭曲得变了形。

福尔摩斯面带微笑地指着一张还没被放进行李箱里的临摹图问：“波克先生，这张图是怎么回事？”波克挣扎着坐了起来，咬牙切齿地说：“你休想从我这里打听到任何消息！阿尔塔蒙！我这辈子绝对不会放过你的！”

“这种话我听得多啦。”福尔摩斯轻松地回答道，“你知道莫里亚蒂教授、莫兰上校吗？他们都说过类似的话。可现在呢，他们都去世了，但我还活得好好的，在南方农场养蜜蜂呢。”

波克气得快要发疯了，扭动全身大吼道：“阿尔塔蒙！你！”

“顺便说一句，阿尔塔蒙是个**假名字**，世界上根本没这个人。”波克喘着粗气问：“那……你到底是谁？”

福尔摩斯依然微笑着：“我曾经帮波希米亚国王解决过一桩丑闻，帮英国女王找回丢失的潜水艇秘密文件，对了，还曾经救过你母亲的哥哥一命呢。”

“你……你是福尔摩斯！”波克惊叫一声，然后好像认命了一样，无力地瘫倒在沙发上。

突然，他又激动起来，尖叫道：“天哪，这么说，我从你手里买到的情报，全都是**假情报**？”

“要我说，波克先生，作为一个国际间谍，你已经尽力了，只不过是不幸遇到了更聪明的对手罢了。”福尔摩斯拍了拍波克的肩膀，又抬起头对华生说，“帮我把他搬上车吧，我要带他回伦敦接受审判。”

波克拼命挣扎着，但福尔摩斯把他捆得很结实。两个人最终成功地把波克塞进了小汽车。当然，他们俩也没忘了那个装满文件的行李箱。

在车里，波克依然努力做着最后的反抗：“福尔摩斯，你这样抓走我是不合法的，是绑架德国公民！”

“是抓捕**图谋不轨**的德国间谍。”福尔摩斯平静地反驳道。

“你不是警察，没有权力抓我！等会儿到了有人的地方，我会大喊救命，你们——”

“那样的话，我只好把你绑起来，吊在树上了。波克先生，你现在最明智的做法，就是老老实实跟我们去伦敦警察局。到时候，说不定你还能请男爵过来帮你求求情呢。”

波克瞪着眼睛，喘着粗气，终于渐渐安静了下来。福尔摩斯和华生站在栏杆前，回忆着过去一起冒险、一起破案的快乐时光。福尔摩斯凝望着月光下的大海，若有所思地说：“很快就要刮东风了，华生。”

华生疑惑不解地看着福尔摩斯，问道：“你说什么？”

福尔摩斯慢悠悠地说道：“**东风**，一股从未在英国刮起的东风，冰冷刺骨，我们中的许多人，或许会在东风肆虐的时候凋零。不过，这场风暴过后，我们也许会看到一个更好的国家。嗯——不管怎么说，我这一生，还是为这个国家做了一些好事，对吧？好啦，华生，是时候出发回伦敦了。”

大侦探
福尔摩斯

图书在版编目（CIP）数据

大侦探福尔摩斯．最后的致意 新探案/（英）柯南·道尔（Arthur Conan Doyle）著；喵博士改编．—南京：译林出版社，2022.4（2022.6重印）

ISBN 978-7-5447-8996-7

Ⅰ.①大… Ⅱ.①柯… ②喵… Ⅲ.①侦探小说－小说集－英国－现代 Ⅳ.①I561.45

中国版本图书馆CIP数据核字（2021）第 260737 号

大侦探福尔摩斯：最后的致意 新探案
［英国］柯南·道尔 ／ 著 喵博士 ／ 改编

策　　划　彭　波　龚文宇
本册撰写　叶可昕　何　敏　冯　帆
责任编辑　朱旭玲
装帧设计　宸唐工作室
校　　对　孙玉兰　王　敏
插　　图　妙象童画
责任印制　颜　亮

出版发行　译林出版社
地　　址　南京市湖南路 1 号 A 楼
邮　　箱　yilin@yilin.com
网　　址　www.yilin.com
市场热线　025-86633278
排　　版　宸唐工作室
印　　刷　南京新世纪联盟印务有限公司
开　　本　890 毫米 × 1240 毫米　1/32
印　　张　4
版　　次　2022 年 4 月第 1 版
印　　次　2022 年 6 月第 3 次印刷
书　　号　ISBN 978-7-5447-8996-7
定　　价　28.00 元

SHERLOCK HOLMES